ONBETAMELIJK GEDRAG

Lena Andersson

Onbetamelijk gedrag

Een roman over liefde

VERTAALD UIT HET ZWEEDS DOOR
LIA VAN STRIEN

Lebowski Publishers, 2015

De vertaler ontving voor deze vertaling een werkbeurs van het Nederlands Letterenfonds

Deze vertaling is mede tot stand gekomen dankzij een bijdrage van The Swedish Art Council

Published by arrangement with Partners in Stories Stockholm AB, Sweden

Oorspronkelijke titel: *Egenmäktigt förfarande – en roman om kärlek*
Oorspronkelijk uitgegeven door: Natur & Kultur, Stockholm

Omslagontwerp: Dog and Pony
Typografie: Perfect Service, Schoonhoven
Foto auteur: © Cato Lein

ISBN 978 90 488 2026 9
ISBN 978 90 488 2028 3 (e-book)
NUR 302

www.lebowskipublishers.nl
www.overamstel.com

OVERAMSTEL
uitgevers

Lebowski Publishers is een imprint van Overamstel uitgevers bv

Hij die ... wederrechtelijk enig goed wegneemt en gebruikt of het zich op andere wijze onrechtmatig toe-eigent, is schuldig aan eigenmachtig handelen ... Datzelfde geldt voor hem die zonder diefstal, door vastketening of verbreking of anderszins, wederrechtelijk inbreuk maakt op andermans eigendom dan wel een ander met geweld of onder dreiging van geweld verhindert in de uitoefening van diens recht enig goed te behouden of weg te nemen.
Zweeds Wetboek van strafrecht, hfdst. 8 §8

~

Ester Nilsson, zo heette iemand. Ze was dichteres en essayist met op haar eenendertigste acht compacte publicaties op haar naam. Sommigen noemden ze eigenzinnig, anderen speels, de meesten hadden nog nooit van haar gehoord.

Met vernietigende precisie nam ze de werkelijkheid waar vanuit haar bewustzijn en leefde met de ambitie dat de wereld was zoals zij hem beleefde. Of beter gezegd: dat mensen zo in elkaar zaten dat ze, als ze maar opmerkzaam waren en zichzelf niet voor de gek hielden, de wereld ervoeren zoals die was. Het subjectieve was het objectieve en het objectieve het subjectieve. Dat was in elk geval haar streven.

Dat het zoeken naar eenzelfde precisie in taal haar gevangen hield wist ze, en toch zocht ze ernaar; elk ander ideaal speelde degenen die het intellect bedrogen of eronderuit wilden in de kaart, degenen die het niet zo nauw namen met de talige weergave van de fenomenen en hun onderlinge verhoudingen.

Toch moest ze keer op keer inzien dat woorden een benadering bleven. Evenals de gedachte, die ondanks haar opbouw uit gesystematiseerde waarnemingen en taal, minder betrouwbaar was dan ze zich voordeed.

Die vreselijke speelruimten tussen gedachte en woord, wil en uitdrukking, werkelijkheid en onwerkelijkheid, en dat wat er in die speelruimten groeit, daarover gaat dit verhaal.

Sinds Ester Nilsson op achttienjarige leeftijd had beseft dat het leven uiteindelijk neerkwam op het verjagen van de saaiheid en met dat doel zelfstandig de taal en de ideeën ontdekte, had het leven haar nooit tegengestaan en zelfs gewone somberheid amper vat op haar gehad. Ze werkte gestaag aan het decoderen van de toestand van mens en wereld. Haar filosofiestudie, formalistisch, analytisch, had ze gevolgd aan de Technische Universiteit van Stockholm en na de afronding van haar proefschrift, waarin ze het Angelsaksische en het Franse had willen verenigen, oftewel het minimalisme en de logica van de analytische school had toegepast op de bombastischer aannamen over het leven van de continentale school, had ze als freelancepubliciste gewerkt.

Vanaf de dag dat ze de taal en de ideeën ontdekte en zich realiseerde wat haar taak was, had ze zich een begrotelijk leven ontzegd, ze at goedkoop, slikte zorgvuldig de pil, koos haar vervoer bewust, was de bank noch privépersonen ooit iets schuldig geweest en vermeed situaties die haar afhielden van datgene waaraan ze haar tijd wilde besteden: lezen, denken, schrijven en gesprekken voeren.

Zo had ze dertien jaar geleefd, ruim de helft daarvan in een harmonieuze, rustige relatie met een man die haar zowel haar gang liet gaan, als haar fysieke en mentale behoeften bevredigde.

Toen werd ze gebeld.

~

Het telefoontje kwam begin juni. De man aan de andere kant van de lijn vroeg of ze het laatste weekend van oktober een lezing wilde houden over de kunstenaar Hugo Rask. Hij werkte met bewegend beeld en tekst, in een zowel voor groots als eigenaardig gehouden combinatie. Bovendien werd hij gewaardeerd om zijn sterke moraliteitsbesef in een door oppervlakkigheid gekenmerkt tijdsgewricht. Waar anderen over zichzelf spraken, sprak hij over verantwoordelijkheid en solidariteit, plachten zijn aanhangers te zeggen.

Een verhandeling van dertig minuten, het gebruikelijke honorarium.

Ester was bij het Sankt Eriksplein toen ze het telefoontje kreeg. Het was laat in de middag, de intens gloeiende zon stond laag en prikte in haar ogen. Toen ze thuiskwam vertelde ze de man met wie ze haar leven deelde, zijn naam was Per, trots van de opdracht. Hugo Rask was een kunstenaar die ze beiden met bijzondere belangstelling volgden.

De zomer verstreek en een deel van de herfst. Het leven van Ester Nilsson verliep als anders. Een paar weken van tevoren begon ze zich in het werk van Hugo Rask te verdiepen en las de teksten die over hem en door hemzelf waren geschreven. 'De kunstenaar die zich niet verhoudt tot de samenleving en de kwetsbaarheid van de mens in het wrede bestaan, mag zich geen kunstenaar noemen' was een van zijn veel aangehaalde uitspraken.

Esters lezing viel op een zaterdag. De zondag ervoor begon ze te schrijven. Ze moest op tijd beginnen, dat wist ze, om voorbij de collectieve taal te komen, de tot gestolde algemeenheden verworden standaardgedachten.

Ester Nilsson was van plan een geweldig betoog te schrijven. Hugo Rask moest verbluft naar haar luisteren. Elke kunstenaar, een verlichtingsadept als hij in het bijzonder, was ontvankelijk voor de kracht van formuleringen en hun erotische potentie.

Ze schreef haar lezing en met de dag groeide het gevoel van verwantschap met het onderwerp. Van respect *zondag* naar ontzag *dinsdag* en een zeurend verlangen naarmate *donderdag* naderde, tot een diep gemis *vrijdag.*

Een mens bleek iemand te kunnen missen die hij slechts in zijn verbeelding heeft ontmoet.

Het was niet haar schepping van hem die ze beminde, en geschapen had ze hem ook niet, hij bestond buiten haar. Maar de woorden, haar woorden, omsloten en streelden zijn werk, dat hij was.

~

Het congres over het leven en werk van Hugo Rask tot op heden begon om één uur zaterdagmiddag. Behalve zijzelf zou er een kunstcriticus spreken, daarna was er een paneldiscussie over 'de maatschappelijke verantwoordelijkheid van de kunstenaar'.

De groep zou een kwartier voor aanvang bij elkaar komen. Er zat nog wat warmte in de lucht en Ester droeg een lange, grijze zomerjas die soepel langs haar benen viel, alsof hij duur was geweest, en voordat hij in de uitverkoop ging was hij dat ook. Ze had hem over de rugleuning van de stoel naast haar gelegd. Toen Hugo Rask het vertrek binnenkwam wilde hij juist op die stoel gaan zitten, hoewel er andere stoelen vrij waren. Voor hij hem naar achter schoof pakte hij voorzichtig haar jas op en legde die in de vensterbank. Niet eerder had ze iemand iets zo sensueel zien aanraken als nu, met zijn vingers die zich om de stof sloten en de beweging waarmee hij het kledingstuk verlegde. De zachtheid van de beweging gaf fysiek gestalte aan een absolute vriendelijkheid, een volmaakte behoedzaamheid.

Als je dingen en stoffen zo beroerde, beschikte je over buitengewone tederheid en gevoeligheid, dacht Ester Nilsson.

Tijdens haar lezing zat hij met gespannen aandacht op de voorste rij. In de zaal heerste grote concentratie bij de honderdvijftig betalende toehoorders. Na afloop kwam hij stralend op Ester af en bedankte haar door haar beide handen in de zijne te nemen en haar op haar wangen te kussen.

'Nog nooit heeft een buitenstaander me zo wezenlijk en zo precies begrepen.'

Het kolkte en borrelde vanbinnen en het lukte haar amper om de volgende bijdragen te volgen. Ze dacht uitsluitend aan de dankbaarheid die ze van zijn gezicht had afgelezen.

Toen het programma om vijf uur was afgelopen bleef ze in zijn buurt en probeerde anders te ogen dan ze zich voelde. De zoon van de kunstenaar was er, een jonge man met baard, gehaakte muts en een directe, spontane manier van doen. Hij roemde haar lezing en stelde voor om gedrieën wat te gaan drinken. Van alles in de wereld en ver daarbuiten was dat het enige wat Ester Nilsson wilde. Had ze die avond een biertje kunnen gaan drinken met Hugo Rask, dan was haar leven volmaakt geweest.

Maar ze moest naar huis.

Haar broer was over uit het buitenland en hij en haar vader zouden komen eten. Haar broer kwam eens per jaar, dus ze kon het niet afzeggen.

'Misschien een andere keer,' zei Hugo.

'Wanneer je wilt,' zei Ester vlak, om haar emoties te verhullen.

'Kom gerust eens naar mijn atelier om die dvd's op te halen die je nog niet hebt.'

'Ik bel je wel,' zei Ester nog vlakker.

'Het was echt mooi wat je vandaag gezegd hebt. Je hebt me geraakt.'

'Dank je. Het was gewoon de waarheid.'

'De waarheid,' zei hij. 'Datgene waar jij en ik allebei naar zoeken. Toch?'

'Daar lijkt het wel op,' zei ze.

Tijdens het etentje met haar vriend, haar broer en haar vader, was Ester Nilsson zwaar van verlangen naar elders. De klank in haar stem verried haar gevoelens, net als de glans in haar ogen. Ze merkte het, maar kon klank noch glans veranderen. Ze wilde alleen over Hugo Rask praten en over zijn kunst en wat er die dag gezegd was. Eén keer viel ze de kunstenaar af en stak onnatuurlijk hard, maar tegelijkertijd innig de draak met hem. Het zei een oplettend luisteraar genoeg. Maar niemand aan tafel was bijzonder oplettend.

Ze voelde zich heel alleen en hondsmoe. In een paar uur tijd, of sinds zondag, toen ze Hugo Rask in zichzelf tevoorschijn was gaan schrijven, of als gevolg van een lange desintegratie, was Ester van haar man vervreemd. Ze was één groot gemis.

Ze dacht aan een toekomstige vriendschap en geestverwantschap. De kunstenaar zou haar en Per leren kennen en bij hen komen eten. Ze zouden over de grote vragen discussiëren en elkaar met hun gesprekken verder helpen. Het zou blijven zoals het was, maar dan verrijkt.

Realiteiten kunnen uitsluitend stapsgewijs worden ingelijfd. Een andere manier is er niet. Ze zat midden in stap twee.

~

Het was een week of twee later toen ze op een welgekozen avond naar hem toe ging. Al die tijd had ze aan niets anders gedacht. Dat hij haar gevraagd had naar zijn atelier te komen zodat ze die vroege werken kon krijgen, betekende dat ze het recht had hem op te zoeken. Om niet begerig te lijken, wachtte ze zo lang ze verdragen kon.

Een medewerker van Hugo Rask deed in besmeurde werkkleding open. Ester legde omslachtig uit waarvoor ze gekomen was. Ze lichtte toe wat niemand zich afvroeg om te verhullen wat niemand zag. Toen de simpele reden van haar komst de medewerker ten slotte duidelijk was, zei hij dat ze even bij de deur kon wachten, dan zou hij de dvd's pakken. Hij beende de gang door. Ester was van verlangen naar een weerzien in de wolken geweest en als het door zoiets triviaals niet doorging, zou de teleurstelling te groot zijn.

'Ik moest hem ook nog spreken,' zei ze. Haar stem klonk te hard, haar huid prikte.

Er zijn momenten waarop tegenwoordigheid van geest de toekomst bepaalt, zwaarwegende ogenblikken die even later voorbij zijn en dan is het te laat. Ze moest het erop wagen en wel hier en nu. Het was een kwestie van seconden. De medewerker aarzelde. Hij maakte deel uit van de schare assistenten en had de taak zijn baas en idool te beschermen. Vermoedelijk hoopte hij op een dag zelf kunstenaar te worden en had hij de entourage van de grote opgezocht om te kunnen kijken en leren.

Hij vroeg haar te wachten, verdween de gang in en liep een trap op.

Toen hij terugkwam leek hij kleiner. Ester mocht binnenkomen.

Boven zat Hugo Rask met een compagnon die Dragan Dragović heette en bekendstond als de persoon met wie Hugo Rask de toestand van de wereld besprak, die zijn denken beïnvloedde en zijn superego was – zij het andersom, zodat datgene wat Hugo wellicht beter ongezegd en ongedacht had kunnen laten ongecensureerd naar buiten kwam. Alles wat die twee, Dragan en Hugo, bespraken was wereldomvattend en had eeuwigheidswaarde. Het kleine en alledaagse was niet hun forte.

Dat van Ester Nilsson evenmin.

Hugo stond op, zijn gezicht lichtte op toen hij haar zag. Hij omhelsde haar zinnelijk en nodigde haar uit erbij te komen zitten. Dragan bleef met zijn ene slanke been over het andere zitten en stak haar ter begroeting een hand toe, maar dusdanig dat ze hem tegemoet moest komen. Hij droeg zwart leren brogues en kneep zijn ogen dicht tegen de rook van zijn sigaret, wat hem een superieure en tegelijkertijd onverschillige uitdrukking gaf.

'Je bent dichteres?' vroeg hij.

'Ja.'

'Vertaald?'

'Ja. Niet erg veel. Dat zegt niets over...'

'Wat wil je met je gedichten?'

'Anderen laten zien wat ik gezien heb.'

Dragan zweeg. Het viel niet op te maken of hij met het antwoord tevreden of ontevreden was, maar Ester schatte in dat het beter was dan hij verwacht had en dat dat hem niet aanstond.

'Dat was fantastisch wat je die zaterdag deed,' zei Hugo.

Hij wekte een wispelturige indruk, naast Dragans norse onbeweeglijkheid.

'Wat heb ik gedaan?' vroeg Ester.

'Je lezing over mij.'

Ze voelde haar pols kloppen en zag Hugo zitten: groot en lang, vol eten, drinken en geleefde jaren. De liefde voor wat ze zag was zo groot dat het pijn deed.

'Ik was afgelopen weekend in Leksand,' zei hij.

Ester wachtte het vervolg af.

'Ik heb er een huis. Aan het Siljanmeer.'

Er was iets merkwaardigs met zijn mededeling, alsof ook hij toelichtte wat niemand zich afvroeg om te verhullen wat niemand zag, en Dragan trok dan ook een wenkbrauw op. Hij vertelde over Leksand en zijn huis omdat hij zich meteen in zijn volle gedaante aan haar wilde presenteren, dacht Ester.

Ze ging op een spijlenstoel zitten, maar hield haar gewatteerde jack aan. Ze had het gisteren gekocht, toen de eerste koudegolf zich aandiende. Ook haar broek was nieuw, een donkerblauwe van ribfluweel; het jack had overeenkomende ribfluwelen details op de schouders. Alleen als alle signaalstoffen in haar hersenen op volle toeren draaiden, kon ze zich ertoe zetten kleren te gaan kopen. In alle andere gevallen was het een te nutteloos tijdverdrijf dat haar slechts afhield van haar zelfopgelegde taak om de werkelijkheid te ontcijferen en de meest waarachtige talige veraanschouwelijking ervan te vinden. Op een dag zou ze snappen hoe alles met elkaar samenhing. Vooralsnog verscheen de werkelijkheid in delen en fragmenten.

Hugo Rask knikte goedkeurend naar haar jack en zei dat het mooi was, niet zo bol als andere gewatteerde jacks. Ze maakte de knopen los omdat ze het anders warm zou krijgen, maar als ze het jack helemaal zou uitdoen, dacht ze, zou het lijken of ze zichzelf uitnodigde om te blijven, en omdat dat precies was wat ze wilde – voor altijd blijven – kon ze haar jack niet uitdoen.

Dat het niet meer dan normaal was om een dik, gewatteerd jack uit te doen als je binnen bent, ook als je maar heel even blijft zitten, drong op dat moment niet tot haar door. Niets is moeilijker dan normaliteit te veinzen. Normaliteit heeft iets onbekommerds dat zich niet laat imiteren. Overdrijvingen vallen op en worden lachwekkend. Maar wat de pogingen om gevoelens te verhullen meezit is dat de toeschouwer geen zekerheid heeft. Als het erop aankomt is het leven een oriëntatieloop met schaamte en eer als kompas, en doemt de angst op, dan is er de opluchting dat je geen onbetwistbare sporen hebt achtergelaten. Je kunt altijd ontkennen. Dat je je jas niet uittrok, dat je nerveus en stuntelig leek, is geen bewijs zoals uitlatingen bewijs zijn. Op zijn hoogst is het grond voor een vermoeden.

En nu zat Ester Nilsson, die schaamte en eer gewoonlijk verwierp omdat beide de mens tot slaaf van andermans oordelen maakten, zich daar af te vragen hoe ver ze haar jas moest uittrekken of aanhouden als ze niet wilde laten merken hoe verliefd ze was.

Ze spraken over Hugo, zijn werk, zijn positie, zijn prestaties. Hij stelde luttele vragen over haar, maar ze bracht het gesprek snel op hem terug en begon over een door hem gemaakte en door de jaren heen terugkerende beeldsequentie van mensen die in de regen bij een bushalte staan.

Vanwaar dat motief en waarom terugkerend?

Hugo stond op, strekte zijn armen boven zijn hoofd, nam een paar stappen en trok een papiertje van de muur. Ze zag zijn lijf van achteren en wilde opspringen om er haar armen omheen te slaan.

'Omdat het mooi is,' zei hij, verfrommelde het papiertje en gooide het in de prullenbak.

Ze werd zwaar en loom van de manier waarop zijn lichaam voor haar ogen bewoog en van de zinnelijkheid waarover iedereen die ziet dat mensen in de regen mooi kunnen zijn wel moet beschikken. Was dat niet precies waarnaar ze haar hele leven al zocht?

Maar ze moest naar huis, naar een wachtende man, die uit angst voor het antwoord niet meer vroeg waar ze geweest was of waarom ze niet meer met hem praatte.

~

Op een middag zat Ester met een vriendin in een café. Ze dronken koffie, aten er een muffin bij en bespraken hun levens. Ester mocht haar vriendin graag, ze kenden elkaar al lang. Toen ze een tijdje hadden zitten praten, keek de vriendin Ester vragend aan en zei: 'Ben je verliefd op Hugo Rask? Je bloost zodra zijn naam valt. Feitelijk ben je voortdurend rood.'

Ester greep haar servetje.

'Maar ik ga niet weg bij Per.'

Het vragende maakte plaats voor onthutsing.

'Was daar dan sprake van?'

'Nee.'

Onthutsing maakte plaats voor meewarige zekerheid.

'We hebben goed contact en worden zeker vrienden,' zei Ester.

Haar vriendin glimlachte geamuseerd. Maar Ester geloofde in wat ze zei. Ze besefte niet dat ze een grens gepasseerd was. Ons brein kent geen tempora. Het heeft al gehad waarnaar het verlangt. De knop gaat om op het moment dat we de reeds geroken toekomst niet willen verliezen.

'Je bent verschrikkelijk rood,' zei haar vriendin.

Ester bracht haar handen naar haar wangen, vooral om ze te bedekken, maar ook om ze te verkoelen.

'Het is hier warm,' zei ze.

Vanbinnen raasde de hartstocht. De verbrandingsmotoren liepen op alle cilinders. Ze leefde van de lucht. Ze at niet en taalde niet naar eten. Ze dronk niet en had geen dorst. Haar broek zat elke dag wat losser. Haar vlees brandde en ze kon niet slapen. Ze legde haar mobieltje in de la van haar nachtkastje en het meedogenloze egocentrisme van een verliefdheid belette haar te begrijpen dat de man naast haar in stille razernij wakker lag. Radeloos was een te groot woord, want hij was ook voor zichzelf een gesloten persoon, maar het scheelde niet veel.

Zoals het eerder een onuitgesproken vanzelfsprekendheid was dat Per en Ester graag en altijd bij elkaar waren, zo was het nu een onuitgesproken vanzelfsprekendheid dat Ester 's avonds niet eerder thuiskwam dan noodzakelijk. Hun hele relatie was een onuitgesproken vanzelfsprekendheid geweest, daarom dreven ze ook zonder commentaar uit elkaar.

Hugo's sms'jes kwamen gewoonlijk 's nachts, wanneer zijn medewerkers en Dragan naar huis waren en hij in zijn eentje doorwerkte. Elke avond rond middernacht stuurde hij een vriendschappelijk berichtje, dat ze meteen las. Aan de andere kant van het bed lag een persoon die niet bestond.

Zijn atelier lag aan de Kommendörsgatan, in een van de minder statige panden van de straat. 's Avonds liep ze er een blokje om. Ze hoopte een glimp op te vangen, dat iemand die met hem in contact stond, of wie weet hijzelf, naar buiten zou komen. En op een avond gebeurde dat. Ze kwam uit de bioscoop en liep naar huis met een omweg langs zijn atelier, om daar weer aan een blokje om te beginnen. Op dat moment zag ze hem aan de overkant van de straat op de stoep lopen. Hij beende stevig door, de andere kant op. Ze keerde om en volgde hem op een afstandje. Hij ging een paar keer een hoek om en liep de supermarkt op de Karlavägen in. Ester bleef buiten staan wachten.

Na drieënhalve minuut kwam hij naar buiten en liep met een plastic tasje in zijn hand dezelfde weg terug. Ze bleef twintig meter achter hem. Toen ze zijn voordeur naderden, haalde ze hem in, legde een hand op zijn schouder en zei: 'Dat is toevallig.'

Hij toonde geen verbazing, raakte haar arm aan en zei: 'Kom mee naar boven. We zijn klaar met werken en staan nog wat te praten, een paar medewerkers en ik.'

'Willen de anderen dat wel, denk je?'

'Ik wil het. Kom.'

Er stond een groep van vijf personen in de keuken van het atelier, met hun glazen vol rode wijn en hun ellebogen op de bar. Hij pakte zijn boodschappen uit: crackers, druiven en een blauwschimmelkaasje dat hij uit het plastic haalde.

Een van zijn medewerkers, een jongere vrouw met een bos krullen en een opvallende bril, keek Ester scheef aan, maar waarschijnlijk was dat een misinterpretatie, want Ester snapte niet met welke reden ze dat zou doen.

Ze aten, dronken en zeiden dat het een lekker kaasje was. Hugo legde uit dat er eeuwen overheen waren gegaan om de smaakcombinaties van brood, kaas en druiven te ontwikkelen. Zonder dusdanig lange tijdsperspectieven hadden ze niet evolutionair aangepast kunnen worden aan onze smaakpapillen. Hij liet zich verwonderen door alles wat de tijd kreeg. Ester had dat in een vroeg stadium opgemerkt en in haar lezing ook geanalyseerd. Nu ze naast hem stond en in vlees en gevoelens was opgelost, dacht ze aan de kaas, hoe die de concurrentie met andere stremsels gewonnen had, en aan de zwammen die in de strijd om de voorkeur van de menselijke papillen weggezift waren. Ze hield ervan dat hij op zulke grote, serieuze zaken reflecteerde.

Het enige wat haar niet aanstond, was dat hij altijd mensen om zich heen had. Dat zei iets over hem waarover ze licht sceptisch was. Ze had liever gezien dat hij een solitair geweest was met ergens vanbinnen een verlangend scheurtje dat zij zou mogen opvullen.

Voordat je doorhebt waar je gevoel je naartoe leidt, praat je met Jan en alleman over het onderwerp van je liefde. Plotseling houdt dat op. Het ijs is dan al dun en glad. Je realiseert je dat elk woord je verliefdheid kan onthullen. Je onberoerd voordoen is net zo moeilijk als spelen dat er niets aan de hand is, en in wezen hetzelfde.

Zover was Ester nog niet, wat duidelijk werd toen ze op een bijeenkomst de eindredacteur van het filosofisch tijdschrift *De grot* trof, waarvoor ze nu en dan geschreven had, en het gesprek prompt op Hugo Rask bracht hoewel het niet over hem gegaan was. De redacteur beaamde dat hij buitengemeen interessant was en kwam ter plekke op een idee. Ze zei dat ze juist de laatste hand legden aan een themanummer over zelfopoffering en plicht en dat er nog iets ontbrak, iets waarmee ze de boel konden rondmaken en dat bovendien lezers zou trekken. Nu pas bedacht ze wat dat moest zijn. Aangezien het werk van Hugo Rask altijd rond ethische kwesties cirkelde, stelde de redacteur een interview met hem voor over het spanningsveld, in zijn werk en in hemzelf, tussen Ik en Jij.

Met gloeiende haarwortels vroeg Ester Nilsson waarom de redacteur juist haar voor die opdracht geschikt achtte, want aan dat spanningsveld had ze noch filosofisch, noch in haar studie van zijn werk aandacht besteed.

'Omdat je verliefd bent op Hugo Rask en vragen zult durven stellen waar niemand anders aan zou denken.'

'Hoe kom je daarbij?'

'Waarbij?'

'Dat je dan indringende vragen stelt. Ik dacht dat het tegendeel juist verondersteld werd, dat verliefdheid je onkritisch en onoordeelkundig maakt.'

'Onoordeelkundig, ja, dat klopt. Maar niet onkritisch, eerder streng. Als het onderwerp van je liefde zich onbeduidend, inconsistent en zwak toont, wordt je liefde immers alleen maar groter.'

'Je spreekt uit ervaring?'

'Reken maar.'

Er verscheen een lach op haar gezicht die breder was dan de door wijn en sigaretten aangetaste tanden van haar kunstgebit konden hebben.

'Maar er is nog een andere, voor de hand liggender reden om het jou te vragen.'

'En die is?'

'Alleen iemand die verliefd is kan zo'n artikel in een week afkrijgen. Dat is helaas alle tijd die ik je geven kan.'

'Hoe kom je erbij dat ik verliefd ben?'

'Dat zie ik aan je.'

'Ik waardeer zijn werk,' zei Ester. 'Echt.'

De redacteur lachte, begripvol en valsjes.

'Minimaal 18.000, maximaal 20.000 tekens. Deadline over een week.'

Een dergelijk interview vroeg een gesprek van meerdere uren en naderhand veel contact over de geschreven weergave ervan. Dit was haar kans.

De volgende ochtend belde ze Hugo. Hij was gevleid maar wilde erover nadenken, het was een moeilijk onderwerp dat tijd en denkwerk vergde, het moest kloppen en goed worden. Maar in principe had hij interesse en hij respecteerde *De grot.*

Gedurende de dag kwam ze erachter dat ze haar partner niet over de opdracht kon vertellen en begreep ze dat hun relatie voorbij was. Restte de vraag hoe ze dat zou zeggen. Ze hoopte dat hij haar zou helpen. En dat was precies wat hij deed. Met ambivalentie kon hij niet leven en de volgende avond pakte hij haar stevig bij haar bovenarm en vroeg: 'Heeft het nog wel zin om hiermee door te gaan? Met ons?'

In zijn woorden hoorde Ester vooral een verzoek om vertroosting en verlichting. Hij vroeg het om te mogen horen dat hij zich vergiste. Degene die weg wil ondervindt innerlijke weerstand, de angst voor het onbekende, voor alle gedoe, voor latere spijt. Degene die niet verlaten wil worden moet die weerstand benutten. Daarvoor moet hij echter wel zijn behoefte aan duidelijkheid en oprechtheid beteugelen. De kwestie moet onuitgesproken blijven. Degene die niet verlaten wil worden moet het uitspreken van de verandering overlaten aan degene die weg wil. Alleen zo kun je iemand behouden die niet bij je wil zijn. Vandaar het wereldwijde relationele zwijgen.

Ester dacht: het mag niet. Ik mag zijn pijn en mijn eigen ongemak niet verzachten. Dat mag niet.

'Nee, het heeft geen zin,' zei ze.

'Dus het is uit?'

'Ja.'

'Dan kun je morgen vertrekken.'

'Ik kan nergens heen.'

'Ik wil dat je weg bent als ik morgen thuiskom van mijn werk.'

De ochtend daarop trok ze weer in bij haar moeder aan de Tulegatan. Haar moeder vroeg niet te veel en niet te weinig. Ze zei dat Ester mocht blijven zolang als nodig was. Toen ze de eerste ochtend wakker werd, was er geen verdriet en gemis, alleen een gevoel van vrijheid. Een geluksroes kun je niet weg veinzen. Men zegt dat een breuk altijd zwaar is. Maar wie verliefd is op een ander is niet tegelijkertijd ongelukkig, niet echt. Je kunt je schuldig voelen en opzien tegen de rompslomp die je te wachten staat, je kunt met de ander mee lijden. Maar een verliefdheid is totaal, ja, totalitair. Ze omvat alles wat je doet en denkt, vandaar ook haar verwoestende kracht.

Ester maakte een afspraak met Hugo: komende zondag om één uur zou ze hem interviewen.

~

De zondag was een grijze, kilkoude dag met geloken ogen. Het was bijna één uur, ze stond in een zijstraat te wachten tot ze kon aanbellen. Ze was niet zenuwachtig voor hun afspraak. Een paar uur lang geconcentreerd over wezenlijke dingen praten was haar wel toevertrouwd. Alleen de gedachte dat ze de toekomst kon verliezen waarin haar verlangen zich al had genesteld veroorzaakte een vage ongerustheid.

Ze merkte dat ze razende honger had en kocht een vegaworstje bij het stalletje voor hotel Mornington aan de Nybrogatan. Toen dat op was, was het stipt één uur. Ze wachtte nog twee minuten. Liep zijn straat in, op zijn huis af. Belde aan. Hij deed open. Omhelsde haar onbeholpen, met dwalende blik. Er was een nieuwe teergevoeligheid, een schuchtere introspectie in zijn anders uitbundig goedmoedige voorkomen geslopen. De luchtigheid van eerst was compleet verdwenen. Ze troffen elkaar voor het eerst zonder anderen erbij en in zijn katerige ogen lag een troebele wetenschap dat alles wat ze nu zouden doen gevolgen zou hebben.

Ze gingen elk op een stoel aan het massieve bureau vol papieren en boeken zitten. Hij leek een onderbroek van het strakke type te dragen, dacht ze en zette de bandrecorder aan, ze gingen aan het werk.

Velen meenden dat hij in zijn kunst bezeten was van moraal, zei ze aftastend, verkennend, voorzichtig, om op gang te komen. Of was het van de mens en de menselijke natuur, het oergedrag van de mens?

Zo zou hij het liever omschrijven, zei hij, ogenschijnlijk met waardering voor haar observatie. Bezeten door de mens als zodanig, ja. Maar het woord 'bezeten' was te negatief, eerder uitvoerig geïnteresseerd. De individuele verschillen tussen individuen interesseerden hem slechts als schijn boven de menselijkheid van de mens waarnaar hij zocht. Hij zocht het teken der dingen, zoals in Plato's ideeënwereld. De mens als mens. De stoel als stoel, het lichaam van alle lichamen.

Daarmee was hij hopeloos passé bij bepaalde delen van de intelligentsia, voor wie elke vorm van algemeengeldigheid en menselijke natuur al tijden had afgedaan, hield Ester hem voor. Dé mens kon volgens hen niet benoemd worden zonder man, blank, Europees en burgerlijk te worden. Dé stoel bestond niet, want die kwam van het oude continent en uit een bepaalde periode. En het lichaam waarover hij het had was protofascistisch.

Hij ging daar niet op in maar zei dat je kennis, zowel in de kunst als in de wetenschap, het beste zocht door jezelf te dwingen de dingen opnieuw te zien, zoals ze waren, afgepeld tot op het bot, en door de dingen of hun verschijningsvorm nooit als vanzelfsprekend te beschouwen. Wilde je zien hoe de mens bewoog, dan moest je naar het skelet kijken. Wilde je onderdrukking zien, dan moest je de formule voor onderdrukking zoeken, eventuele variaties dienden alleen om je blik te verwarren, de mal was eender en alles, zowel mens als ding, kwam voort uit een oerfenomeen.

Ester zei dat ze zich helemaal kon vinden in die kijk op de

verenende principes van het bestaan, de basisstructuur voor al het bestaande. De vraag was in hoeverre je je de kritiek erop moest aantrekken.

Of ze zich al of niet in zijn visie kon vinden hield Hugo minder bezig dan hoe hij op de lezers zou overkomen, en terecht, dacht Ester. Dat zij een verborgen agenda had, hoefde niet te betekenen dat hij die ook had. Ze moest geduld hebben en de lange termijn voor ogen houden.

Ester gooide het over een andere boeg en vroeg waarop hij zijn moraal baseerde, of hij handelingen waardeerde naar consequenties of principes. Hij leek de vraag niet te begrijpen, waarop ze uitlegde dat ze zelf wel gereflecteerd had over de vraag of niet iedereen op de een of andere manier utilitarist was, dat wil zeggen de gevolgenethiek aanhing, dat wil zeggen waardeerde naar uitkomst, ook degene die zei van principes uit te gaan.

'Hoe bedoel je?' zei hij fel en geïrriteerd. 'Dat is toch geen tegenstelling?'

Ester werd nerveus, maar besloot dat het gênanter was de discussie te laten varen dan haar door te voeren.

'Een gevolgenethicus,' zei ze, 'zal zich tegen de democratie moeten kanten als blijkt dat die nadeliger gevolgen heeft dan dictatuur. Hij vindt dat eigenwaarde uitsluitend in maximaal welbevinden gevonden mag worden, terwijl de rechtenethicus eigenwaarde als enig kompas heeft. Eigenwaarde in vrijheid en autonomie.'

Na elke zin liet ze een korte stilte vallen, maar ze kreeg geen respons.

'De rechtenethicus zal op zijn beurt de gedachte moeten verdragen dat de consequenties van zijn opstelling nadeliger zijn dan die van andere opstellingen en desondanks vasthouden aan en een motivering kunnen geven voor het principe van vrijheid en autonomie van het individu.'

Hugo's gezicht was op een vleugje verwondering na uitdrukkingsloos. Ook uitdrukkingsloosheid drukt iets uit, constateerde Ester.

'Dus hoe gaat de rechtenethicus daarmee om?' vervolgde ze geforceerd, haar hele uitweiding intussen betreurend. 'Gelooft de rechtenethicus op de lange termijn ondanks alles niet toch dat slechts de autonomie van het individu aanvaardbare consequenties oplevert? Waarmee hij zich hulpeloos in de gevolgenethiek, een vorm van regelutilisme, terugvindt?'

Hugo zat peinzend te wiegen in zijn stoel, zijn handen op de armleuningen.

'Op de lange termijn zijn we allemaal dood, om met Keynes te spreken,' zei hij.

'En hoe ontstaan eigenwaarde en principes eigenlijk?' zei Ester. 'Oftewel dat wat de utilitarist schuwt en waarop de rechtenethicus zijn hele opstelling baseert? Is dat niet noodzakelijkerwijs door ze af te zetten tegen alternatieven die men nadeliger vermoedt? Maar nadeliger ten opzichte van wat? Kan het vergelijkingspunt iets anders zijn dan de uitkomst, die de rechtenethicus juist buiten beschouwing wil laten?'

Hugo's ogen waren gaan dwalen. Hij zei: 'Toen ze Zhou Enlai bijna tweehonderd jaar na de Franse Revolutie vroegen naar de uitwerking daarvan, weet je wat hij toen zei? "Dat valt nog niet te zeggen." Geweldig, toch? "Dat valt nog niet te zeggen."'

Hugo schoot in de lach. Het was geen includerende lach.

'Maar met dergelijke perspectieven zijn we zoals gezegd allemaal dood,' zei Ester.

'Ik ben kunstenaar,' zei Hugo. 'Ook de esthetiek bevat een moraal.'

'Vertel.'

Hij zei: 'De esthetiek is een morele handeling.'

Zij zei: 'Wat wil dat zeggen?'

Hij zei: 'Dat wil zeggen dat de esthetiek, de kunst op zich, revolutionaire kracht heeft.'

Zij zei: 'Ongeacht de inhoud?'

Hij zei: 'Zonder inhoud is ze geen kunst.'

Zij zei: 'Dus dat is een definitie?'

Hij knikte. Ze vroeg wat het andere dan was, dat wat kunst genoemd werd maar het niet was omdat het revolutionaire kracht ontbeerde.

Hij zei: 'Ambacht. Of troep.'

Ze verlegden het gesprek naar bijzonderheden in zijn werk. Het onderwerp van het interview, Ik en Jij, zwakte ze af, omdat zijn antwoorden goeddeels uit ondoordringbare citaten en referaten van Buber bleken te bestaan. Toen ze vrijer spraken, gaf Hugo omslachtige toelichtingen, keer op keer alsof er geen vraag gesteld was, en keer op keer werkte hij de formulering van de vraag om tot zijn eigen uitspraak. Ester had het gevoel dat ze woorden gaf aan wat hij deed en wie hij was, en dat hij ondertussen geloofde dat het zijn gedachten waren.

Na drie uur had ze genoeg materiaal voor een artikel en zette ze de bandrecorder uit. Haar hoofd was goed moe. Ze keek op de klok; het was te vroeg om te gaan eten.

Ze kwamen even bij en spraken over andere dingen, kleinigheden, een mooie viool die aan de muur hing, wat ze beneden op straat zagen als ze allebei van hun stoel kwamen en dicht naast elkaar voor het raam stonden. Ze begeerde zijn lijf. Tussen neus en lippen door zei ze dat haar relatie uit was en dat ze in afwachting van woonruimte bij haar moeder was ingetrokken. Hij speelde met zijn paperclips en leek een voorstel te willen doen. Ester zei dat ze niet voor morgenochtend aan het artikel zou beginnen, wanneer haar hoofd weer helder was. Nu was ze daas en op.

'Heb je honger?' vroeg Hugo.

'Ja.'

'Ik ook.'

'Ik heb vanmiddag alleen een worstje gegeten, vlak voordat ik hierheen kwam. Een vegetarisch worstje van het stalletje verderop bij het hotel.'

'Daar hebben ze goede worstjes.'

'Er stond iets over in de krant,' zei Ester. 'Het schijnt beroemd te zijn, dat stalletje.'

'Ik eet niet vaak worstjes. Jij wel?'

'Worstjes? Nee, haast nooit.'

'Bestaat er vegetarische worst? Dat wist ik niet. Waar wordt die van gemaakt?'

'Verschillende planten die ze verwerken en in een velletje persen. Het is vast niet heel gezond, maar misschien beter dan vlees.'

'Qua voedingswaarde?'

'Ja. En qua ethiek.'

'Utilitaristisch beter?' zei hij. Hij lachte een zachte, warme lach. 'Of vanuit rechtenethisch oogpunt?'

Haar woorden waren kennelijk toch niet langs hem heen gegaan.

'Ik ben weer begonnen met hardlopen,' zei hij. 'Afgelopen week. Ik heb alleen meteen al pijn aan de binnenkant van mijn knie.'

Hij was begonnen met hardlopen omdat hij had gemerkt hoe ze zijn lijf bekeek en van hem hield, dacht Ester.

'Misschien is het je meniscus. Mag ik?'

Hij strekte zijn been uit en ze voelde uitgebreid aan zijn knie.

'Een paar jaar geleden liep ik echt goed,' zei Hugo. 'Ik zou het weer willen oppakken. We kunnen misschien samen gaan?'

'Als je geen blessure hebt.'

'Je loopt vast harder dan ik.'

'Dat is aan ons,' zei Ester, 'hoe hard we lopen.'

Hij boog en strekte zijn been een paar keer en zei: 'Hmm. Dus je eet niet veel worst. Wat eet je dan?'

'Vooral planten.'

'Planten?'

'En een enkele garnaal.'

'Waarom planten?'

'Omdat ik niet weet hoe ik het eten van bewuste wezens moet verdedigen. En misschien dat je er langer door leeft.'

'Hoe lang wil je leven?'

'Een jaar of honderd.'

'Toe maar. Denk je niet dat het saai wordt zo op het laatst?'

'Nee. Dat hangt ervan af wat je doet.'

Hij keek door het raam naar het restaurant aan de overkant van de straat. Zijn vaste stek.

‘Als je geen haast hebt, zouden we wat planten kunnen gaan eten en bespreken of ons interview nog moet worden aangevuld. Meestal worden de interessante dingen na afloop gezegd.’

‘Je hebt al veel interessants gezegd.’

Hij keek haar aan, anders dan hij eerder gedaan had, smekend bijna en ingespannen en zei: ‘Vind je? Vind je dat ik iets zinnigs gezegd heb?’

‘O jazeker. Vanzelfsprekend zeg je interessante dingen.’

Ze kreeg de indruk dat hij ergens mee zat en dat kwijt wilde, iets waarover hij haar oprechte mening wilde horen, en liefst haar bevestiging.

‘Voor mij is dat niet vanzelfsprekend,’ zei hij. ‘Ik krijg het nu en dan te horen, maar ik ervaar het niet zo.’

‘Iedereen weet en vindt dat je interessant bent. Krijg je kritiek, dan is dat in de wetenschap van je verhevenheid.’

‘Denk je dat?’

‘Dat weet ik.’

Ze had haar jas aangetrokken en haar muts opgezet.

‘Hoe weet je dat?’

‘Ze vinden je interessant zoals ik je interessant vind.’

Het was een antwoord dat licht schuurde vanbinnen.

Ze moesten wachten tot het restaurant om vijf uur openging, wat niet lang zou duren. Ondertussen liet hij haar boeken zien die belangrijk waren geweest voor de ontwikkeling van zijn gedachten. Diep vanbinnen was ze niet echt door zijn gedachten geïmponeerd, maar zijn kunst was eigenzinnig en omdat ze verliefd was kregen ook zijn gedachten hun glans.

Hij had twee exemplaren van Camus’ *De mens in opstand*

en gaf een ervan aan haar, het exemplaar dat er het beste uitzag, met een omslag dat op dat van het origineel leek, of zoals dat er naar ze aannam had uitgezien. Het was op een vergeelde manier Frans, met rode lijnen die een rechthoek vormden.

'Camus is belangrijk voor me geweest,' zei Hugo.

'Camus is geweldig,' zei Ester. 'Ik zal nooit vergeten wat ik voelde toen ik *De vreemdeling* las. Zijn stijl, de toon, die eerste zin. Dat laconieke.'

'Ik kende ooit de eerste pagina in het Frans uit mijn hoofd,' zei Hugo.

'Hoe dat zo?'

Maar Hugo bevond zich in gezelschap van Camus en glimlachte stilletjes.

Ester zei: 'Herinner je je die vreselijke passage waarin zijn vriendin vraagt of hij van haar houdt? En dat hij dan antwoordt dat dat er niet wezenlijk toe doet.'

Elke keer dat ze een commentaar gaf, viel het dood. Niet één keer ging Hugo door op wat Ester zei. Elke keer ging Ester door op wat Hugo zei. Ze waren geen van beiden echt geïnteresseerd in haar en allebei geïnteresseerd in hem.

Ester maakte een mentale notitie over gebrek aan nieuwsgierigheid en generositeit, maar stond niet toe dat het haar genegenheid beïnvloedde.

Klokslag vijf staken ze de straat over om te gaan eten. Om tien uur dronken ze het laatste beetje wijn op; ze hadden onafgebroken zitten praten. Kon je van één uur 's middags tot tien uur 's avonds een gesprek gaande houden, dacht ze, dan hoefde je je geen zorgen te maken. Dan was de toekomst veelbelovend.

~

Tijdens de week die volgde werkte Ester aan haar artikel voor *De grot*. Ze verkeerde in eenzelfde roes als waarin ze een maand geleden, in een andere tijdrekening, haar lezing over hem geschreven had.

Teksten zoeken hun ritme. Dat vergt tijd. Maar op een zeker moment is een tekst af, zelfs voor wie bereid is er eindeloos aan te werken. De tekst heeft zich dan dusdanig van zijn bron losgeweekt dat elke lezing weer verbazing oproept en de helderheid je tegemoet parelt.

Voor dit interview maakte ze dagelijks meer uren dan ze anders opbracht. Het lukte haar normaliter niet om lang achtereen te schrijven. Na een zeker aantal uur vond haar hoofd slechts zeurderige fouten, om de volgende dag spijt te hebben van het schrappen, of verviel het in de frasen van de culturele omgeving.

Acht dagen nadat ze de opdracht had gekregen was het lange artikel af, door Hugo gelezen, door hen samen besproken in het bijzijn van Dragan Dragović, die bijna overal kritiek op had en ook verder alle tekenen van jaloezie vertoonde, en opgestuurd naar de redactie. Die liet weten tevreden te zijn en was benieuwd hoe ze het in zo korte tijd voor elkaar had gekregen.

'Ik had een deadline.'

'Maar je hebt ongelofelijk snel gewerkt.'

'Hadden jullie een slechter artikel verwacht of hadden jullie niet gedacht dat ik de deadline zou halen?'

'Wat bedoel je? We zijn tevreden. Het is een goed stuk.'

'Dankjewel. Daar ben ik blij om. Maar hoe kunnen jullie opdrachten geven die je zelf als onmogelijk beschouwt?'

'Ik begrijp niet waar je het over hebt. Stuur de factuur maar.'

Toen het werk aan het artikel erop zat, bleven Ester en Hugo elkaar minstens één avond per week zien. Ze aten in het restaurant, hun gesprekken waren onuitputtelijk en na afloop vroeg hij haar vrijwel altijd mee naar zijn atelier, waar ze verder praatten, maar nooit naar zijn appartement in hetzelfde complex, aan de overkant van de binnenplaats. Ze vroeg zich af waarom er niets gebeurde. Ze stonden te dralen terwijl het duidelijk genoeg was waar het heen ging. Ze werd wanhopig bij de gedachte dat het hierbij zou blijven en vroeg hem in een sms'je: 'Kun je me niet vertellen wat je voelt?' Hij antwoordde met een aforisme, cryptisch genoeg om geen verplichtingen te scheppen: 'De mens is een genot voor de mens.' Somber dacht ze: de mens is een wolf voor de mens.

Ze vroeg zich af of het gekkenwerk was geweest om, onberaden en onbesuisd, louter op grond van gevoelens, uit een goed functionerende relatie dit luchtledige in te stappen. Het punt was dat ze sleur meed, altijd al gemeden had. Ze verkoos de kwelling boven verveling, was liever alleen dan in keuvelend gezelschap. Niet dat ze een hekel aan keuvelaars had, maar ze vergden te veel energie. Gekeuvel putte haar uit. Het was best mogelijk, dacht ze bij zichzelf, dat ze gezorgd had op Hugo verliefd te worden omdat ze zonder het te merken verveeld was geraakt en deze met hoop en absolute gelukzaligheid vervlochten onzekerheid nodig had om het gevoel te hebben dat ze leefde.

De lucht die ze nu inademde deed zich echter angstaanjagend desolaat voor.

Iets hield hem tegen. Misschien waren er verborgen belemmeringen. Ze realiseerde zich dat het fenomeen 'huwelijksbeletselattest' moest zijn ontstaan om juist dit soort onzekerheid weg te nemen. Ze had het beschouwd als een inhoudsloos begrip uit een irrationeel tijdperk. Maar natuurlijk werd juist dit soort situaties met het huwelijksbeletselattest voorkomen. De toenmalige strikte gebruiken rond het liefdesleven waren in wezen veel rationeler, in de zin van systematisch en doordacht, dan deze idiotie van willekeur en gevoel waar ze zich in gestort had en waar de moderne mens zonder uitzondering op was aangewezen. Geen regels, geen tradities, geen krukken om op te steunen, niets.

Hoe ze eroverheen moest komen als dit anders afliep dan dat ze geliefden werden, twee mensen die vonden dat ze bij elkaar hoorden, was haar een raadsel.

Om het weekend was Hugo weg. Hij zei dat hij naar Borås ging, waar zijn frêle moeder woonde. Er was iets met die weekendjes Borås wat niet klopte, er hing een onnatuurlijk vacuüm omheen, zoals elke leugen door een onnatuurlijk vacuüm omhuld wordt. Het lastige was dat ze geen aanleiding had om de echtheid van zijn bezoekjes te betwijfelen en dat hij geen reden had om een stad te noemen waar hij niet naartoe ging. Toch was er iets wat niet klopte.

Op een van de avonden dat ze samen wat aten en dronken

en naderhand in zijn atelier zaten, zag ze uit de binnenzak van een jasje dat over een stoel hing een treinkaartje steken. Toen hij het toilet opzocht, stond ze op, liep wat door de kamer, bekeek de kunst aan de muur en trok aan het kaartje, zo lichtjes dat het nauwelijks als handeling beschouwd kon worden.

Stockholm-Malmö retour, stond erop. Geen letter over Borås. Het was het kaartje van afgelopen weekend, waarin hij naar eigen zeggen naar Borås zou zijn gegaan.

Toen ze zich had hernomen, dacht ze dat het goed nieuws was. Dat hij zweeg over zijn relatie op afstand, want dat moest het wel zijn daar in Malmö, wees erop dat die werd afgewikkeld en dat de kans op een overstap groot was.

Een paar dagen voor kerst stuurde Ester Hugo een sms'je om te vragen of ze kon langskomen met een kerstcadeautje. Hij antwoordde dat hij die avond de nachttrein naar Malmö-Kopenhagen zou nemen, maar dat ze gerust even kon langskomen voordat hij naar het station moest. Om de een of andere reden noemde hij nu de juiste geografische plaats, al probeerde hij die met de toevoeging Kopenhagen weer diffuser te maken, of interessanter en grootsteedser.

Die nieuwe oprechtheid kwam voort uit een toegenomen gevoel van nabijheid, dacht Ester. Voel je nabijheid, dan wil je niet liegen. De leugen vergt een zekere mate van dehumanisering, in elk geval tijdelijk. De leugen is een pantser. Lieg je niet wanneer de verleiding er wel is, dan geef je jezelf bloot.

In de Stockholmse binnenstad lagen sneeuwduinen en ijspegels hingen aan de daken. Dolgelukkig dat ze hem even zou zien, maar ongerust over de feestdagen en de ongewisse toekomst, glibberde ze met haar kerstcadeau door de straten.

Hij schonk rode wijn, hoewel het amper vijf uur was. De woorden waren lasvonken en kregen gezelschap van gewichtsloos gelach. Ze voelde zich thuis, op haar gemak en tevreden. Bij hem wilde ze zijn, waar ter wereld ook, als het maar bij hem was.

Zijn koffer stond klaar. Ze overhandigde hem haar cadeau, met zorg in een antiquariaat uitgekozen en gekocht.

'Is dat een goed boek?' vroeg hij toen hij de roman *Mei. Een liefde* van Jan Myrdal had uitgepakt.

'Ongekend,' zei Ester.

Hugo las de achterkant.

'Myrdal is belangrijk,' zei hij. 'Een belangrijk denker.'

'Ik weet niet of ik hem als denker zou aanraden,' zei Ester. 'Maar hij heeft een razend effectief taalgebruik, een scherp oog voor de vragen van de ziel zonder klef of slap te worden. Hoe zet je de mens van binnenuit zo in taal of beeld neer dat de echtheid niet bij de overdracht verloren gaat? Dat is de vraag. Door gevoelens te metaforiseren vergroot je de afstand tot het gevoel alleen maar. Bij Myrdal voel je wat ze ondervinden alsof je het zelf ondervond.'

'Je moet ervoor uitkijken gevoelens te beschrijven,' zei Hugo. 'De hele bedoeling is immers de ontvanger zo te manipuleren dat hij voelt wat jij wilt dat hij voelt. Daarvoor moet je de betreffende gevoelens niet tonen, maar oproepen. Wat heel andere middelen vraagt.'

Ester zei: 'Het grondprobleem is volgens mij dat we andermans handelingen behavioristisch interpreteren, van buitenaf en objectief. Onze eigen handelingen interpreteren we fenomenologisch, vanuit ons bewustzijn. Dat is het menselijk dilemma. En daardoor hebben we allemaal zo'n verreikend begrip voor onze eigen handelingen en zo weinig voor die van anderen.'

Hij vulde haar glas en het zijne bij en zei: 'Is het niet zo dat mensen juist ongelofelijk kritisch naar zichzelf kijken, en geneigd zijn anderen te begrijpen maar zichzelf te veroordelen?'

'Vind je? Dat was mij nog niet opgevallen, moet ik zeggen.'

'Niet?'

'Of het was een flatteus vernisje, een compensatie voor de agressie die we jegens anderen koesteren. Maar waar Myrdal in dit boek in slaagt is zowel fenomenologisch als behavioristisch te zijn zonder dat je doorhebt hoe hij dat doet.'

Hij keek haar zachtmoedig aan, met een haast behoedzame glimlach.

'Je bedoelt dat het mystiek is?'

Ester werd verlegen. Ze hield zo veel van hem dat het overal pijn deed.

'Hoe lang blijf je weg?'

'Een week of twee.'

'Wat lang.'

Hij zweeg, aarzelde, stond op het punt om iets te zeggen, maar bedacht zich.

'Ik weet het momenteel allemaal even niet meer. Ik weet het even niet meer. Wie weet ga ik ook nog wel naar Leksand.'

'Leksand. Naar je huis?'

'Daar ga ik naartoe als ik alleen wil zijn om na te denken.'

Hij draaide zich om en begon in een kast te rommelen, rusteloze bewegingen zonder doel. Hij had haar een verkapte vraag gesteld, dacht ze, hij informeerde verholen of hij veilig met die ander kon breken, die vrouw bij wie hij mogelijk in

Malmö langsging. Zou Ester er dan voor hem zijn? Vroeg hij met zijn 'ik weet het even niet meer' of hij haar kon vertrouwen, of ze geen spel met hem speelde? Voelde hij zich dan de kwetsbare in plaats van andersom? Die mogelijkheid was niet eerder in haar opgekomen.

Ze wenste hem met een voorzichtige kus fijne feestdagen en zweefde door de kerstdrukke straten.

Niets hiervan vertelde ze aan haar moeder. Haar moeder zou het ongepast vinden. Je kon best een beetje decorum bewaren in plaats van je van het een in het ander te storten. En aan 'een bezette vent' moest je zeker niet beginnen. Hoewel het er tot voor kort toch alle schijn van had gehad dat Hugo een vrij man was. Er was niets wat op een relatie had gewezen, op dat treinkaartje, zijn merkwaardige weekendreisjes en het vacuüm daaromheen na.

Het werden rustige kerstdagen. Ze las *De mens in opstand.* Het was zo moeilijk dat ze elke zin twee keer las. Camus had het geschreven uit protest tegen het revolutionaire totalitarisme van Sartre, een protest dat haar interesse had. Na een week kon ze het niet laten om een sms'je te schrijven: 'Lees Camus. Revolutie is onverenigbaar met de wijze waarop het menselijk brein functioneert. Oftewel met de mens. We kunnen niet overweg met het onvermijdelijke absolutisme en het plotselinge ervan. Alles wat de mens doet gaat gradueel. Alle opgedane inzichten, alle gedachten, alles wat er gebeurt of gezegd wordt maakt deel uit van processen, opeengestapelde lagen van opgedane ervaringen. Het hele leven wordt gradueel geleefd, per definitie, en zo is het bewustzijn gemaakt, per evolutie. We wenden ons tot de liefde om ons gezien te voelen.'

Dat laatste was onnodig en hoogdravend, besefte ze meteen, iets wat er niet hoorde. Maar het was te laat, het berichtje was al verzonden.

Een antwoord kwam er niet, wel een vernietigende wroeging. Die nam toe toen de dagen elkaar opvolgden zonder dat hij van zich liet horen. Ze had zich blootgegeven zonder respons te krijgen en de schaamte at zich dieper en dieper haar zenuwen in om zo de resterende feestdagen te verpesten. Ze kon zich niet concentreren, zei tegen zichzelf dat ze moest ophouden, dat ze nooit meer iets om hem of wie dan ook moest geven, want dit ging zo niet. Ze wilde hem helemaal niet! Hij moest weg uit haar leven!

In het nieuwe jaar was hij weer in Stockholm. Ze kreeg dezelfde dag nog een mailtje: 'Ik ben er weer. Als we vandaag goed werken, kunnen we vanavond als beloning gaan eten.'

Twee zinnetjes en alle wroeging verdween. Ze werkte de hele dag moeiteloos. Vervolgens ging ze naar de sportschool, fietste, rende, douchte, dofte zich op en onderweg naar hem stapte ze een hotelbar binnen voor een drankje. Zoiets had ze nog nooit gedaan. Ze zat er in haar elegante broek met blouse en colbertje, met een gin-tonic in een fauteuil en las *De mens in opstand* uit. Vanuit de bar stuurde ze een vriendin een sms'je waarin ze de situatie beschreef en dat het voelde of ze volwassen werd. Het was een bespottelijke zin en een bespottelijke gedachte, dat had ze door, maar hij raakte aan haar beleving. Die zogenaamde bespottelijkheden bestonden omdat ze de meest exacte reflectie waren van een bepaald soort gevoelens, dacht ze terwijl ze daar zat, in een hotelbar met een drankje, lezend in een Franse klassieker.

Zijn ronde gezicht bloosde blij toen ze klokslag zes bij zijn atelier aankwam. Hij rook lekker, had zich net geschoren, had nog vochtig, pas gekamd haar en droeg kleren die schoner waren en hem beter stonden dan anders.

'Heb je honger?' vroeg hij stralend.

Ze had honger.

'Laten we gaan.'

Dat deden ze. Naar het trendy restaurant Sturehof die avond.

Dragan Dragović en de gezamenlijke medewerkers waren vertrokken en lieten zich niet meer zien in de ateliervertrekken waarin ze zich na hun restaurantbezoekjes ophielden. Maar er gebeurde niets. Hoewel hun gesprekken zo erotisch geladen waren dat je hen maar hoefde te zien om een schok te krijgen, eindigden de avonden met een voorzichtige kus op de mond en haar ingetogen nachtelijke thuisreis.

Ester probeerde te denken dat het trage betekende dat het mooi was. Alles wat belangrijk is, heeft tijd nodig, dacht ze. Als er beiden evenveel aan gelegen is, heeft het meer tijd nodig, had ze gelezen. Dit was het soort inleidend begin waarover je later kon vertellen omdat het zo mooi en gevoelig was, dacht ze, terwijl het trage haar gek maakte. Ze had er al het delicate ter wereld voor over gehad om met hun gezamenlijke leven van start te mogen gaan. Op sommige dagen kon ze de koude adem van de catastrofe voelen. Er zijn altijd redenen voor wat mensen doen en niet doen, dacht ze. Zijn passiviteit moest ergens op berusten. Had hij haar vaker willen zien dan nu het geval was, dan had hij dat gedaan.

Omdat ze midden in een drassig moeras stond en zelfs als

ze rond zompte nergens kwam, kon ze zich op geen enkele manier losmaken. Ze herinnerde zich vagelijk dat ze zich tot voor kort aan iets anders dan haar gevoelens gewijd had, interesse had gehad voor de wereld om zich heen, geprobeerd had om iets te leren en blij was geweest dat ze bestond. Nu probeerde ze alleen te begrijpen of hij haar al of niet wilde.

Ze wilde de duidelijkheid die alleen fysieke vervulling kan bieden. Ze wilde dat ze zouden samensmelten opdat ze zich daarna voor elkaar konden openstellen en verwachtingen zouden mogen hebben.

Voortdurend opgewonden wreef ze zich kort en futiel tot nut. Onanie kon haar zere hart, de begeerte naar een lichaam, een huid en armen die vasthielden niet verhelpen.

In de loop van januari wees de Woningbouwvereniging haar woonruimte toe. Ze had, sinds de dag dat ze achttien werd, precies lang genoeg ingeschreven gestaan om in aanmerking te komen voor een éénkamerappartementje in de binnenstad. Er kwam iets vrij aan de Sankt Göransgatan, rustig gelegen aan een binnenplaats. Ze kon er meteen in.

Als ze elkaar zagen, trakteerde hij ruimhartig. Hoofdgerecht, nagerecht, zoete dessertwijn. Zo af en toe betaalde zij, minder ruimhartig. Tussendoor hadden ze dagelijks contact. Kleine gedachten, observaties en onzinnige ingevingen gingen per mail en sms over en weer. Om het weekend was het stil. Ze stelde geen vragen. Hij noemde Borås noch Malmö-Kopenhagen.

Ze hadden neurologisch een hypotheek op hun toekomst, dacht ze. Ze maakten dusdanig deel uit van elkaars bewustzijn dat ze zich geen van beiden het verlies konden voorstellen van een toekomst die zo sterk was gedacht dat hij al bestond. Haar grote angst was dat dit niet voor zijn neuronen gold. In dat geval wachtte haar veel leed. Nog steeds zei hij geen woord over waar ze mee bezig waren, waar dit toe moest leiden. Ze wist dat het menselijk brein liever vasthoudt aan wat het heeft, dan dat het iets nieuws verovert. Dat was ingebakken in de hersenstructuur en door de evolutie versterkt. De vraag was dan welke vrouw hij niet kwijt wilde. Om wie van hen twee, ze ging ervan uit dat hij daar in het zuiden iemand zag, had de angst voor verlies zijn beschermende armen geslagen?

Op een van die avonden dat ze tot sluitingstijd in een restaurant hadden gezeten en naderhand in de keuken van zijn atelier stonden te praten, doorbrak hij voor het eerst hun passieve patroon en zei: 'En wat doen we nu?'

Ze werd te nerveus om te horen dat het geen vraag, maar een uitnodiging was.

'Hoe bedoel je?' zei ze en sloeg daarmee dood wat hij had willen oproepen. 'We blijven toch nog wat praten, net als anders?'

'Ja. Ja, natuurlijk.'

Er volgde een stilte, toen zei ze: 'Ik zou mee kunnen gaan om te zien hoe je woont.'

Het was te laat. Ze had het al verpest.

'Je krijgt het nog wel te zien, maar niet nu,' zei hij kort, afrondend. 'Het is te rommelig.'

'Je moet ook zien waar ik nu woon. Ik ben afgelopen donderdag verhuisd.'

'Ja, vast. Nu ga ik slapen.'

Ze liep naar huis, boos op zichzelf. Ik ben te traag van begrip en verlaat me op woorden als ik zou moeten handelen, dacht ze met een sterk gevoel van radeloosheid. Ze wist dat woorden haar schild waren, het scherm waarachter ze wegvluchtte om zich te verstoppen. Ze wist ook dat woorden niet alles vermochten, al vond ze dat ze dat zouden moeten. Een beetje verbale onhandigheid zou haar seksueel gebaat hebben. Dan had haar lichaam tenminste ook een steentje moeten bijdragen. Nu waren er altijd vervangende woorden. Woorden waren gemakkelijker, bereikbaarder.

Een paar dagen lang werd ze hevig geplaagd. Ze lag kermend op de vloer van haar nieuwe appartement.

❧

Het werd stil. Een week ging voorbij. Ze was kotsmisselijk van zorgen en zelfverwijt. Het koor vriendinnen zei dat een mogelijkheid niet zomaar verdween. Als dit iets waard was, dan was hij er nog. Zij had niets fout gedaan, hij kon toch ook initiatief nemen, het kwam niet allemaal op haar aan. Het koor bestond uit de verzamelde goede raad en vermaningen van haar dierbaarste vriendinnen. Dankzij hen hield ze het een paar uur langer vol als het zwart zich als een lijkwade over het leven legde.

Een week later zou Hugo op maandagavond een lezing houden over hoe het oog kleuren opvat. Ze wist het al een tijd en hij had haar gevraagd te komen. Kleuren en perceptie en hoe de mens nuances waarnam vormde een van zijn grootste interesses. Het was niet haar vakgebied, maar zijn voordracht was zo pedagogisch dat ze begreep wat hij zei en bepaalde nieuwe inzichten opdeed.

Toen hij klaar was en applaus had gekregen, staken ze hun hand naar elkaar op en knikten elkaar schuchter toe. Ze hield zich op de achtergrond terwijl hij door het publiek omringd werd. Toen hij zich na tien minuten nog niet had vrijgemaakt, dwong ze zichzelf het gebouw te verlaten. Ze hadden niet afgesproken elkaar na afloop te zien en ze wilde zich behoeden voor het antwoord dat hij niet kon. Ze moest haar zelfstandigheid tonen, ook als ze daardoor een afspraakje misliep. Ze mocht niet de slaafse hond zijn die ze zich voelde. Behavioristisch autonoom, hoewel fenomenologisch hond.

De lezing had plaatsgevonden in een school aan de Banérgatan. Ze liep zo langzaam mogelijk naar de Karlavägen, waar ze de metro zou nemen. Of de bus. Of wat dan ook. Ze hoopte dat hij nog net een glimp van haar zou opvangen als hij de deur uit kwam, en haar achterna zou komen.

Ze bereikte de hoek van de straat, draaide zich voorzichtig om. Hij was nog niet naar buiten gekomen. Op deze straathoek werd de avond beslist, wist ze, en omdat elke ontmoeting doorslaggevend kon zijn misschien ook hun toekomstige leven. Als ze de hoek omging was zij uit zicht en de kans om vanavond samen door te brengen verkeken.

Nu kon hij haar niet meer zien. Nu was het te laat. Ze maakte een ommetje, liep in een rondje zodat ze nog een keer bij dezelfde straathoek uitkwam. Ze ging voor de tweede keer de hoek om en dacht dat ze niet nog een rondje kon lopen in afwachting van hem.

Juist op dat moment hoorde ze zijn stem. Hij riep haar naam, keek of er geen auto's aan kwamen en stak gehaast en schuin de straat over. Ondanks het donker, verbroken door lantaarns en sneeuw, zag ze zijn brede, warme glimlach.

'Je gaat er toch niet vandoor?'

'Nee. Of ja, jawel. Ik ben onderweg naar huis.'

'Ik werd opgehouden door een paar toehoorders. Ze wilden weten hoe ik over bepaalde dingen dacht. Je moet aardig zijn voor geïnteresseerden. Wat vond je van mijn lezing? Was het wat?'

Hij fronste twijfelend zijn voorhoofd, zoals altijd als hij bevestiging zocht en tegelijkertijd bang was dat hij niet genoeg gedaan had. Ze prees zijn lezing in keurig afgeronde zinnen vol inhoudelijke hoogdravendheid. Het leek hem goed te doen.

'Waarom gaan we niet wat eten?' zei hij.

'Moet je niet werken? Je werkt altijd laat door.'

Ze wilde zo graag dat ze hem dit aanbod van vrijheid wel moest doen. Haar zinnen hadden probleemloos als een beleefde afwijzing opgevat kunnen worden. Dat hij dat niet deed, moest betekenen dat hij zich zeker wist van haar gevoelens.

'Heb ik dat met die lezing niet verdiend dan?' zei hij. 'Heb ik nog niet genoeg gewerkt voor vanavond?'

'O, zeker wel.'

'Doe jij nooit aan ontspanning?'

Hij zei het luchtig en schertsend. Ester voelde zich duizelig en licht in haar hoofd en zei: 'De hele tijd. Ik doe van alles.'

Na wat zoeken belandden ze in een restaurantje in een zijstraat van de Kommendörsgatan. Er hing een geroezemoes en de ramen waren beslagen, het volume was zacht genoeg om te kunnen praten maar hard genoeg om te verhinderen dat anderen konden meeluisteren. De inrichting voelde warm aan na de vrieskou buiten. Alle tafeltjes waren bezet maar hij kende de eigenaar, of misschien werd hij door het personeel herkend, en binnen de kortste keren stond er een tafeltje voor twee klaar, met stevige drinkglazen en bestek in een aardewerken pot; zo'n restaurant was het, robuust.

Ze beleefde hen, deze avond helemaal, als twee mensen die even graag bij elkaar wilden zijn. Weg waren het gedistantieerde gelach en de geamuseerde kwinkslagen. Weg was het ontwijken. Hij wilde iets van haar. Hij at moules frites, zij scampi.

'Je zei een keer dat je vooral planten eet,' zei hij. 'Maar ik zie je elke keer dieren eten.'

'Alleen de ongewervelde. Het is moeilijk om het in een restaurant bij planten te houden.'

'Er is toch altijd wel iets van eetbare flora?'

'Verzopen in room, melk en eieren. Dan kun je net zo goed dieren eten. Schaaldieren daarentegen zie ik bijna als een plantensoort. Een in het water levende plantensoort.'

'Ik zou misschien ook voor de planten moeten gaan,' zei hij.

'Ja, doe dat.'

'Of alleen ongewerveld eten eten. Alleen, waarom ben je met ruggengraat meer bescherming waard?'

Er zat een scheurtje in zijn onderlip, met een dun streepje geronnen bloed. Het scheurtje zette uit als hij lachte. Het zag er pijnlijk uit. Toen ze opstond om haar van de hanger gegleden jas op te hangen, voelde ze hoe zijn ogen haar lichaam volgden en hoe ze daarvan genoot.

Tussen het hoofdgerecht en dessert keek hij haar aan en zei: 'Wanneer doen we dat etentje bij jou thuis? Dan kan ik je nieuwe appartementje zien.'

Ze greep haar glas vast, niet bij de steel maar bij de kelk, met beide handen, en nam een slok wijn om ten volle, met al haar zintuigen, in dit doorbraakmoment aanwezig te zijn, om het niet weer met woorden en opwinding kapot te maken.

'Zaterdag?' zei ze.

Ze wist dat hij wist dat zij wist dat het komende weekend

zo'n weekend was dat hij in de stad was. Ze begreep dat hij juist daarom deze maandag had uitgekozen om te zeggen wat hij zei, met bijna twee weken voor hij weer weg zou gaan.

'Zaterdag is goed,' zei hij.

'Ik heb alleen maar één stoel,' zei ze en bedacht zich prompt dat niet alles wat in je opkwam ook gezegd hoefde te worden.

'We zullen er om beurten op zitten,' zei hij.

Zijn lip scheurde weer.

Hij strekte zijn arm uit en streelde haar haren.

~

En het werd zaterdag. Het was begin februari en aan de dakgoten twijfelden de eerste druppelende ijspegels aan hun toekomst. Ester was geen stoel gaan kopen, maar had een krukje waar ze tijdens het eten wel op kon zitten. Het zat niet gemakkelijk, maar het ging. Ze zouden bovendien niet zitten, maar liggen. Op stoelen hadden ze al genoeg gezeten. Ze was doodop van verwachting, maar zalig tot in haar poriën.

Ze had net de geraspte gruyère bij de saus gedaan, die verder uit crème fraîche, witte wijn, paprikapoeder en bakvocht van een gebraden kip bestond – de flora liet ze die avond voor wat ze was – toen hij om kwart voor zeven opbelde. De gedachte dat hij belde om af te zeggen kwam niet in haar op. Aan vertrouwen ontbrak het haar nog niet.

De nervositeit in zijn stem en zijn handelen maakte haar rustig, lichtzinnig haast.

'Ik sta hier bij een taxistandplaats met een stoel,' zei hij.

'Is het koud?'

'Ja.'

'Te koud voor de stoel?'

'Nee, die heb ik op een deken gezet.'

'En jij?'

'Ik heb geen deken.'

'Dus je hebt het koud?'

'Ik sta te trillen. Maar niet van de kou.'

'Omdat je mij straks ziet?'

'Ja.'

'Voor mij hoef je nooit zenuwachtig te zijn.'

'Weet je dat zeker?'

'We hebben elkaar al zo vaak gezien.'

'Maar niet met een stoel erbij.'

'Kom snel hierheen. De saus wacht.'

Tijdens hun gesprek roerde ze in de saus en goot hem over de kipfilets. Ze moesten een kwartier in de oven, de tijd die hij nodig had om naar haar toe te komen.

Hou je van iemand en wordt je liefde beantwoord, dan voelt je lichaam licht. Is het tegendeel het geval dan weegt één kilo er drie. Beginnende liefde is dansen op een dunne snede. Soms komt een kilo nooit terug op zijn oude gewicht, wat een zekere twijfel oproept bij de bangeriken, de ervaren rotten en degenen met een vooruitziende blik. En bij degenen die niet beschikten over Esters uitzonderlijke vermogen om te hopen.

Ester had iets gekocht waarvan ze niet wist wat het was, om een dry martini te mixen. Ze had gehoord dat dat een drankje was dat je voor het eten kon drinken als je gasten kreeg en ze vond het een goed idee om er de buitengewone bijzonderheid van dit etentje mee te onderstrepen. Toen ze het aperitiefje aanbood, hoorde ze dat haar stem schel van gêne was. Hij was niet onder de indruk en toen ze vermoedde dat hij vond dat ze zich had aangesteld, voelde ze zich nog dommer. Onbeholpen hield hij zijn glas vast terwijl ze hem haar nieuwe kamer liet zien, wat tien klunzige seconden kostte. Hij gaf geen commentaar en leek zich af te vragen waarom hij een rondleiding kreeg.

Ze gingen aan tafel en aten haar kip in room- en gruyèresaus met rijst en een groene salade. Hij was complimenteus, maar niet genoeg en ze hoorde een ironische ondertoon in zijn waardering voor het kipgerecht.

'Dit heeft een ruggengraat,' zei hij.

'Vanavond heb ik een uitzondering gemaakt.'

'Hoe dat zo?'

Na het eten verhuisden ze naar de bank bij de tv, waar ze twee soorten ijs van een Italiaanse ijssalon aten, stracciatella en zabaione, met Italiaanse koekjes die cantucci heetten en zwarte, ook Italiaanse, koffie. Net zoals hij onverschillig op haar drankje had gereageerd, deed ook haar zorgvuldig samengestelde nagerecht hem ogenschijnlijk niets. Ze had liever gezien dat hij even gek op het toetjesparadijs was geweest als zij, de volle romigheid van desserts, de gehemeltevullende texturen die maakten dat ze met haar ogen dicht at. Ze had een man willen ontmoeten met wie ze dit kon delen. Maar Hugo had meer met de alcoholhoudende dranken, zoals alle mannen.

Hij was zo aardig wat van beide soorten ijs te eten en pakte twee cantucci en daar moest ze het mee doen.

Ze keken naar de Olympische Winterspelen, die net waren begonnen. Die avond was de eerste langlaufwedstrijd op tv, de dertig kilometer heren. Opnieuw was zijn houding wat afstandelijk en als het ware verwonderd, alsof hij niet snapte hoe iemand kon denken dat hij naar langlaufen zou willen kijken. Dat kon je uiteraard ook merkwaardig vinden, maar omdat het gesprek tijdens het eten verstrooid was geweest, iets wat nooit eerder gebeurd was, moesten ze zich wel ergens aan wijden. Bovendien wilde ze een begin maken met hun normaliteit. Je kunt niet je hele leven in restaurants zitten praten en elkaar in de ogen kijken. Op een gegeven moment moet je ook samen tv kijken. Maar het was alsof hij zich de hele tijd afvroeg wat hij daar deed. Net zoals zij zich afvroeg waarom hij gekomen was, als alles wat ze deden, aten en zeiden hem om het even was. Of was hij onzeker, zenuwachtig zelfs op onbekend terrein zonder macht over wat er gebeurde? Tot nu toe waren ze steeds in zijn buurtje geweest, in zijn atelier en zijn vaste restaurantjes, onder zijn medewerkers, in zijn wereld.

Elk uur liep hij naar het raam om te roken. Elke keer kwam ze naast hem staan en leunde ze naar buiten, de winteravond in. Ze praatten zachtjes terwijl de gloed de sigaret verteerde. Bij het raam vlotte het gesprek beter.

De sterren fonkelden ongeduldig, bijna opdringerig. Elk rookmoment kwam ze iets dichterbij staan. Hugo zei dat hij zou moeten stoppen met roken, dat hij eigenlijk helemaal niet rookte. Ester dacht dat 'eigenlijk' een raar woord was. Wanneer gebeurde het dat je iets éígenlijk niet deed maar er tegelijkertijd volop mee bezig was? Ze wilde zijn lijf aanraken. Ze vroeg zich af of hij van plan was te blijven slapen nadat ze gevreeën hadden of dat hij midden in de nacht naar huis zou gaan.

De vijfde sigaret van de avond zag eruit als de andere en het rookmoment bij het raam leek op de eerdere met been dicht tegen been, maar het was de laatste sigaret voordat ze naar bed gingen en hun lichamen één lieten worden.

Vijf sigaretten vond ze veel voor iemand die eigenlijk niet

rookte. Ze dacht aan de ziektes die hij van die sigaretten zou krijgen en hoe verschrikkelijk het zou zijn om daar vanaf de dag dat ze binnenkort het leven deelden altijd bang voor te zijn. Maar met haar liefde zou ze hem kunnen laten stoppen.

Toen hij in haar kwam deed hij bezorgd en terughoudend. Ze begreep het niet. Dat ze beschermd was sprak voor zich, anders had ze hem niet toegelaten. Maar hij wist natuurlijk niet wat de vrijheid haar waard was, ook al vond ze dat ze het in allerlei toonaarden over niets anders had gehad.

'Laten we voorzichtig zijn,' zei hij toen zij hitsiger werd en hield in.

Ze stokte midden in een beweging.

'Hoezo?'

'Zodat je niet zwanger wordt.'

'Natuurlijk word ik niet zwanger. Ik wil geen kinderen. Ik wil louter volwassenenliefde. Liefde op gelijke hoogte, geen verticale.'

Hij glimlachte om haar hoogdravende wending. Tot haar verbazing hoorde ze echter ook een vage teleurstelling en een nieuwe klank in zijn stem. Het was de teleurstelling van een man die geen kinderwens bij een vrouw weet op te roepen en er niet in slaagt een echte vrouw, een moeder, van haar te maken. De aangeleerde biologische teleurstelling van de man.

Ester en Hugo werden wakker in de ochtendschemering. Ze vreeën nog een keer, maar rustiger nu zij minder onstuimig was en hij begrepen had dat van zijn zaad geen leven zou komen.

Violet met een vleugje oranje kondigde de lucht een mooie, koude dag aan. De ijspegels aan de dakgoot hadden hun vast bevroren vorm weer aangenomen.

En het ochtendlijk gesprek nam zijn aanvang, mogelijk een van de alledaagsere postcoïtale gespreksvarianten, over oeroude evolutionaire thema's. Afhankelijkheid, macht, zwakte, kracht, vraag en aanbod, alles in de gedaante van granen en zuivelproducten.

Ze zei: 'Waar wil je mee ontbijten?'

Hij zei: 'Ik hoef niet te ontbijten. Ik ga naar huis.'

'Maar ik heb van alles. Muesli, yoghurt, verschillende soorten fruit, lekker brood, beleg, koffie.'

'Ik moet werken.'

'Ik ook. Ik werk ook elke dag, net als jij. Maar ontbijten moet je toch.'

'Ik eet wel iets als ik thuiskom.'

'Je kunt hier iets eten. Dan kun je als je thuiskomt meteen aan het werk. Het kost je geen extra tijd.'

'Ik eet 's ochtends niet zo veel. Zo belangrijk is het niet.'

Ik vind het belangrijk, dacht ze.

'Ontbijt is meer dan eten alleen, hoor,' zei ze.

'Ontbijt is energie om tot de lunch vooruit te kunnen,' zei hij.

Ze zag dat hij ervandoor wilde. Haar woorden hadden daarom geen enkele overredingskracht meer toen ze zei: 'Nee. Het is meer dan energie. En dat is precies waarom jij er zo snel vandoor gaat.'

Geen enkele overredingskracht en daarom klonken ze als verbittering hoewel haar toon zakelijk was. Hij leek na te denken wat hij daarop moest zeggen.

'We spreken elkaar nog wel,' antwoordde hij voorzichtig.

'Alleen als jij daar zin in hebt.'

'Of als jij er zin in hebt.'

'Nee, zo werkt het helaas niet. We spreken elkaar als jij er zin in hebt.'

Hij stormde na een korte, jachtige kus naar buiten.

De deur sloeg dicht, er kwamen een paar woordcombinaties in haar op: *Ontbijtvezels gaan verenigd door darmen. Klonters teerste stront. Wegglippend rendez-vous.*

Ze hield niet van het commentaar dat ze zich gepermitteerd had, die zelfbeklagende half impliciete agressiviteit, dat geringschattende dat naar ze wist alle lust en vreugde doodslaat vanwege de schuldgevoelens die het oproept. Toch had ze niet kunnen verhinderen dat het naar buiten siste. Ze had er een hekel aan als mensen schuld lieten wegsissen, dat had ze als kind al gehad en ze had besloten om nooit zo te worden. Toch had ze zich niet kunnen inhouden wat naar buiten te laten sijpelen, net nu het belangrijker was dan ooit.

~

Minister-president Tage Erlander (die van 1946 tot 1969 het land leidde) heeft het modernistische maatschappelijk bouwwerk, ook bekend onder de naam 'verzorgingsstaat,' in een beroemd geworden verklaring omschreven als een misbruik. Hij zei het niet letterlijk zo, maar het was de strekking van wat hij zei toen hij het over het misnoegen van de toegenomen verwachtingen had, een psychologische natuurwet. Men kreeg wat men eerder had moeten ontberen en was voor even dankbaar. Maar al snel richtte men zich ernaar, vond het normaal en ging het als de minimale standaard zien. De verwachtingen stegen en er was meer nodig om tevredenheid te bereiken. Stromend water, voedzaam eten, een auto en een groter huis voldeden niet. Men had grotere en aanvullende hervormingen nodig om het even goed te hebben als voorheen. De doses moesten omhoog, vaker toegediend.

Ester was niet gelukkig, hoewel ze in het vlees verenigd waren. Hij was niet duidelijk geweest, vond ze. Ze maakte zich zorgen over het vervolg.

Na het ontbijt op deze eerste ochtend van hun nieuwe tijdperk liep ze vijftien kilometer. Ze trainde voor de marathon van Stockholm en deed één duurloop per week. Die viel op zondag. Als amateur in de periferie van een gemeenschap deed ze wat alle anderen deden en wat ze in de adviesrubrieken las. Marathonlopers liepen één duurloop per week, gewoonlijk op zondag omdat de meesten doordeweeks op hun werk waren. Zij was niet aan een dag gebonden, maar hield net als de anderen de zondag aan. Ze was van plan de afstand in de loop van de lente te verhogen tot twintig kilometer, want dat werd geadviseerd, maar vooralsnog was vijftien kilometer genoeg. Ze moest haar ambitieniveau en het risico op blessures tegen elkaar afwegen.

Toen ze thuiskwam wierp ze zich nog voordat ze haar schoenen uit had op haar telefoon. Niets. Hij had niet gebeld of ge-sms't. Om acuut lijden te voorkomen moeten liefdessappen voortdurend worden bijgevuld.

Haar gevoelsleven was onderworpen aan het misnoegen van de toegenomen verwachtingen. Het enige voordeel daarvan is dat de teleurstelling na een tijdje kan omslaan in een andere natuurwet: de vreugde van de afgenomen verwachtingen voor het minste of geringste.

Het gif had echter ook in hem gewerkt. 's Middags belde hij. Het was een vast telefoonnummer dat ze niet herkende. Hij had zijn mobieltje verloren, vertelde hij, of het op de achterbank laten liggen toen hij die ochtend naar huis ging. Het taxibedrijf had beloofd het langs te brengen zodra ze een ritje in de buurt hadden. Zo graag had hij van zich willen laten horen, dacht ze met kolkende borst, dat hij de moeite had genomen haar nummer op te zoeken zodat hij haar diezelfde dag nog zonder eigenlijke reden kon bellen. Hij klonk opgelaten en dat deed haar extra goed. Zou het kunnen, dacht ze, dat hij zo verstrooid was geweest zijn telefoon te vergeten doordat hij helemaal ondersteboven was?

Ze zeiden tegen elkaar dat die nacht geweldig was geweest.

Ze vertelde van haar trainingsronde door de stad, hoe gemakkelijk het gegaan was omdat je zo weinig weegt als je gelukkig bent.

Het was allerminst gemakkelijk gegaan, maar had ze geweten dat hij zou bellen, was dat anders geweest.

Hij zei dat hij vandaag geprobeerd had studie te maken van grotschilderingen in Frankrijk, een onderwerp dat al geruime tijd zijn interesse had, maar dat hij zich voor geen meter had kunnen concentreren.

'Ik kan me ook niet concentreren,' zei ze. 'Heb vandaag niets gedaan gekregen.'

Hij lachte aarzelend, zei dat hij moe was en dat ze vannacht misschien maar moesten slapen, van slapen was de afgelopen nacht natuurlijk niet veel gekomen, dat wil zeggen ieder voor zich.

'Dat is misschien het beste, ja,' zei ze.

Nu was ze in dubio. Ze kon niet uitmaken of hij gedacht had dat ze hem zou tegenspreken toen hij zei dat ze ieder voor zich zouden slapen of dat hij dat daadwerkelijk wilde. Ze wist kortom niet of ze moest aandringen of dat dat zeurderig en opdringerig zou overkomen. Voor de zekerheid bleef ze passief, om niet moeilijk te doen en geen schuld te laten wegsissen.

Hij was hele dagen, avonden en nachten aan het bouwen voor zijn volgende videokunstwerk. Maar tijdens hun gesprek op zondag hadden ze afgesproken of half laten doorschemeren dat ze elkaar dinsdag zouden zien. Alleen niet hoe laat. Tijd was voor hem niet hetzelfde als voor haar. Zij was exacte tijdsaanduidingen gewend en in goed overleg overeengekomen afspraakjes, die nagekomen werden.

Op dinsdagmiddag zat ze vanaf vijf uur thuis te wachten op een seintje dat hij er klaar voor was. Ze dacht dat ze allereerst ergens iets zouden gaan eten en dan naar hem zouden gaan, op de bank zitten, naar bed gaan.

Ze wachtte, wist niet welke tijd hij in gedachte had gehad en of er überhaupt wel een afspraakje vaststond.

Hij werkte. Hij werkte hard en altijd.

Rond middernacht belde hij. Toen was hij klaar. Met zijn werk, voor haar. Ze had haar tanden gepoetst, gedoucht, schone kleren aangetrokken en tijd gehad om te schelden en hem hardop te vervloeken. Nu vloog ze ervandoor en sprintte naar de bus. Ze kreeg een zweem van ijzer in haar mond. Vanaf zijn halte op de Karlavägen rende ze nogmaals, toetste de doorgegeven deurcode in en holde met twee treden tegelijk de trap op.

Hij ontving haar met een glas wijn in de hand en een stralend gezicht, wreef strelend haar arm en pakte omzichtig haar hand vast.

'Mag ik je een rondleiding geven?'

Met aandacht bekeek ze wat hij haar liet zien.

'Ik begrijp niet hoe iemand dit kan kunnen,' zei ze, 'hoe je dit leert.'

'Grappig dat je dat zegt,' zei hij. 'Je bent anders altijd zo kritisch.'

'Waarom zou ik kritisch zijn? Ik weet hier niets vanaf en omdat jij het gemaakt hebt kijk ik ernaar met liefde.'

'O. O ja.'

Hij scheen verlegen maar tegelijkertijd en vooral trots op zijn bezit en zijn coulissen.

'Liefde is niet vorsend en kil,' zei Ester. 'Dat verschil besef je toch wel?'

Hij nam haar hand weer vast en wees met zijn vrije hand.

'Trompe-l'oeil heet dat,' zei hij. Hij keek haar aan om te zien hoe de woorden vielen, of hij zou beledigen met een vertaling, dan wel te nonchalant zou zijn zonder.

'Zegt het je iets, trompe-l'oeil?'

'Ik heb erover gehoord, maar het nog nooit gezien. Eigenaardig effect.'

'Het betekent "bedriegt het oog".'

Het hield in dat je de coulissen in verwrongen verhoudingen en in klein formaat schilderde, zodat dat wat ze voorstelden waarheidsgetrouw op beeld overkwam. Grote steden en enorme landschappen rezen op in het formaat van een luciferdoosje.

Ze sloegen onder de coulissen hun armen om elkaar heen. Hij legde uit dat ze bedoeld waren om het oog te bedriegen wat betreft afstand, grootte en uiteindelijk het hele bestaan. Het waren dichterlijke waarheden, gebouwd zodat het oog de wereld zou zien zoals ze was, ook al was het allemaal nep, in scène gezet.

Ze staken de binnenplaats over en gingen de trap op naar zijn appartement. De sneeuwhopen waren vies wit en glommen mat in het flauwe schijnsel van de lantaarns.

Hij ging zonder sleutel naar binnen, hij deed de deur nooit op slot, zei hij, er viel niets te stelen. Toen trok hij zijn werkkleren uit en ging douchen terwijl zij rondkeek. Ze was voor het eerst bij hem thuis. Een thuis was het amper, eerder een slaapplaats. Alles was provisorisch, zelfs de stang, een eindje van zijn bed, waaraan hij zijn overhemden en jasjes ophing. Kledingkasten waren duidelijk niets voor hem.

Het was of hij op reis was of op de vlucht. Wat hij gezegd

had en wat ze nu zag, droeg bij aan Esters vermoeden van zijn mentaliteit. Ze begreep dat hij zich de toekomst voorstelde als een volkomen andere staat dan het heden. De toekomst was iets dat met grote verandering en rust zou komen. Op een dag zou het ware leven beginnen, als eerst dit werk maar gedaan was. Binnenkort zou hij tijd hebben om met alles korte metten te maken, als eerst die solotentoonstelling maar klaar was, en dat retrospectief. Zo was ook zijn ideologie, zijn visie op de maatschappij: hij was in wezen een revolutionair utopist. Het paradijs was meer dan een woord.

Je kon er een leven mee slijten. Je kreeg veel gedaan terwijl je wachtte tot het leven zou beginnen.

Toen Hugo uit de badkamer kwam, lag Ester onder de dekens.

'Dat ziet er knus uit,' zei hij. Hij legde zijn handdoek op een stoel naast het bed en kwam huid tegen huid naast haar liggen.

'Dit is het hoogste,' fluisterde ze. 'Het hoogste in het mensenleven. Elkaar ontmoeten zoals wij nu. Het grootste dat er is.'

Hij antwoordde met zijn handen.

Bij het ontwaken de volgende morgen vonden ze elkaar op de tast en deden het nog eens over. Het was minder lang, maar even innig. Het was acht uur en er wachtte een werkdag. Hij constateerde dat hij niets te eten in huis had, wat kon betekenen dat zijn uitspraak over het ontbijt als louter brandstofvoorziening inderdaad voor hem opging en niet slechts een excuus was geweest om afstand te kunnen houden. Ze hoopte het, vond dat alles erop wees. Ze vroeg zich af of ze alvast zou voorstellen om elkaar vanavond weer te zien en het niet allemaal zo vaag te laten dat het op wachten uitdraaide en ze niets anders kon plannen.

Ze kon zich er niet toe zetten.

Hij vroeg of ze meeging naar de 7-Eleven op de hoek. Hij nam er een koffie en een croissantje, zij een koffie en een onbelegd hard volkorenbroodje. Het was een van haar schameler ontbijtjes.

Ze zaten naast elkaar op hoge stoelen aan een lange raamtafel met uitzicht op een kruising en het stadse ochtendgewoel. Ze spraken niet veel. Als ze iets zeiden, dan waren het algemeenheden over wat ze zagen, hoe de koffie smaakte en wat er op de aanplakbiljetten stond. Ze waren vrienden noch minnaars. Ze vroegen wat de ander vandaag zou gaan doen zoals je dat vraagt als je niet bij elkaar hoort hoewel je met elkaar naar bed gaat, dat wil zeggen als de ene partij besloten heeft hoe het daarmee staat zonder het te vertellen, dat moet gewoon blijken, en dat deed het ook.

Ester had geen zin om te vertellen wat ze vandaag zou gaan doen. Ze wist niet wat ze zou gaan doen en het was zo'n oninteressant vraag. Ze wilde dat hij zou vragen: 'Wat zullen we vandaag gaan doen? Wat wil jij dat we vandaag gaan doen?' Niet het afhoudende: 'Wat ga jij vandaag doen?'

Hugo had het over het weer en de temperatuur, dat het guur was, een strenge winter, dat velen het zwaar hadden in deze kou. Ze zei: 'De winter is nu precies op de helft.'

Vervolgens dacht ze dat ze zou zeggen dat ze van de winter hield, maar er was geen ruimte voor zo'n opmerking. Waar zij van hield deed niet relevant aan, want ze waren toch niet bezig elkaar te leren kennen.

Er heerste absolute contactloosheid, een afschuwelijke vervreemding. Hij zat naast haar in een openbare ruimte, verloochende haar dus niet. Hij ontbeet met haar, hoe schameltjes ook, op *the day after*. Het had een val voorwaarts geweest moeten zijn. Maar ze waren vreemden voor elkaar. Dit samenzijn was niet meer dan zijn vorm. Het miste inhoud en zat daarom boordevol andere inhoud.

'Wat als je collega's ons samen zien?' vroeg ze.

Hij leek haar vraag niet te begrijpen.

'Als ze ons hier zo zien zitten, om acht uur 's ochtends.'

'Over dat soort dingen hebben we het helemaal niet.'

Ze vond het een merkwaardig antwoord, op een bepaalde manier onlogisch. Waar het om ging was wat de anderen wisten en wat dat voor hem betekende. Of ze het erover hadden of niet zou van ondergeschikt belang moeten zijn. Ze overwoog op zijn antwoord in te gaan, er een gedegen analyse van te maken om zo via een sluiproute alle gevoelde teleurstelling te kunnen laten wegsissen. Hij dronk zijn koffie op en ging staan.

'Ik moet ervandoor.'

Ze knikte. Hij zat met een diffuus schuldgevoel. Ze zag het aan een hoofdbeweging die even vertraagde, het zorgelijke op zijn voorhoofd, om zijn ogen en in zijn houding.

'Blijf jij nog even filosoferen?' zei hij.

'Ja. Ik blijf nog even filosoferen.'

Hij boog voorover en gaf haar een kus op haar wang. Een duidelijke, tedere, liefdevolle kus. Een kus ook die iets van ontoereikendheid wist. Hij stond stil, weifelend, voor hij wegliep.

En zij bleef zitten, maar niet filosoferend. Het was een

woensdag met een wittige mist van het soort dat je kraag in kruipt. Een dag vol boze vermoedens. Er was iets danig mis, dat wist ze. Niet met de ontmoeting als zodanig, als wel met hun verschillende ideeën over het gewicht en de betekenis ervan.

Er was niets gezegd over het vervolg en niets over hun entree in elkaars leven of het zwijgen als gevolg daarvan. Niets over wat dan ook.

Ze waren opgehouden met praten op het moment dat hun lichamen begonnen. Liefde heeft woorden nodig. Korte tijd kun je op het woordeloze gevoel vertrouwen. Maar op den duur is er geen liefde zonder woorden, noch is er liefde louter met woorden. Liefde is een hongerig beest. Ze leeft van aanraking, herhaalde verzekeringen en het oog dat in een ander oog kijkt. Als het oog heel dicht op het andere oog zit, zien beide ogen niets.

Ze bleef een kwartier zitten, toen nam ze de bus naar huis. De lucht bleef de hele dag aan de grond en hij belde niet. Zij ook niet, maar als zij niet belde betekende dat iets anders dan wanneer hij dat niet deed, want hij maakte de dienst uit, hij had de macht. Daar was geen bewijs voor en geen twijfel over mogelijk. Wie de rem erop zet, heeft het altijd voor het zeggen. Als hij niet belde, was dat vast niet omdat hij dacht: nu moet ik me inhouden en niet steeds bellen.

Dit is de hel, dacht ze de volgende morgen, toen er een etmaal verstreken was. Dit is nou de hel en dit is de hel die er is. Ze werd van binnenuit verteerd.

Op donderdagavond zou Ester naar een feest waarvoor ook Hugo was uitgenodigd. Het was een paar weken eerder kort ter sprake gekomen, maar vervolgens was ze het vergeten omdat ze aangenamere redenen gevonden hadden om elkaar te zien.

Ze had zich weer wat hernomen van het ochtendlijke helvisioen en een zekere verwachting diende zich aan. Ze zouden elkaar ondanks alles zien. Ze begreep weliswaar dat het iets zei dat hij niet van zich liet horen, dat ze geen contact hadden terwijl er deze dagen een eruptie van contact had moeten ontstaan. Ze wist dat er niets toevalligs aan was als zoiets uitbleef, dat dat strookte met een psychologische realiteit waar waarschijnlijk een exacte term voor bestond. Ze probeerde zich er echter van te overtuigen dat het toeval was, dat dingen gewoon gebeurden, dat mensen van elkaar verschilden, dat sommigen vaak van zich lieten horen en anderen niet, wat ze ook voelden, dat het begin altijd moeilijk en aarzelend was.

Ze geloofde haar eigen riedeltje niet. Het waren bezweringen. Ze wist zeker dat wat er gebeurde tot realiteiten kon worden herleid. Dat hij haar niet belde hoewel hij dat zou moeten willen, was een niet-handeling die correspondeerde met een hersenbeweging, een beweging die op een overweging berustte, zij het zo goed als onbewust, en op de afwezigheid van beweging in zijn hart. Ze had duidelijk en sterk het gevoel dat deze overweging de vooruitgaande beweging van hun liefde, hun toekomstige verhouding, niet ten goede kwam.

Maar hij was ook een hard werkende man, dacht ze. Ze moest niet op het ongeluk vooruitlopen. Wanneer ze elkaar vanavond zagen zou ze vrolijk en opgewekt zijn, niet verwijtend en teleurgesteld, niets laten blijken van wat er allemaal vanbinnen woedde.

Het was middag. In de loop van de dag had ze hem zes keer gebeld. Ze dacht dat hij het druk had en niet bij zijn telefoon was. Ze dacht dat het jammer was dat hij niet zo sterk naar haar verlangde dat hij ondanks een gebrek aan tijd wilde bellen, dat hij, anders dan zij zou hebben gedaan en wat gewoonlijk de fase waarin ze zich bevonden typeerde, niet zijn telefoon bij zich had om maar geen enkel telefoontje te hoeven missen. Bevond zij zich daar alleen? Of had hij een andere manier van verlangen?

Het was een van die dagen dat ze gedachte en gevoel niet uit elkaar kon houden.

In angst en beven ging ze naar het feest. Eenmaal daar schudde ze het onbehagen wat van zich af, praatte met mensen, lachte, at, dronk. Om tien uur was hij er nog steeds niet. Vanaf elf uur ging de een na de ander naar huis. Toen kwam hij, met een taxi. Hij had een kleine entourage meegenomen, medewerkers zonder uitnodiging, onder wie Dragan. Sinds Ester met Hugo omging, wist ze dat Dragan in Joegoslavië geboren was, in 1981 naar Zweden was gekomen en een voorliefde had voor Franse filosofie en een gesofisticeerde variant van het communisme. Dragan had in 1979 de Iraanse moellahs gesteund om de hegemonie van het Westen te trotseren en sindsdien nooit aanleiding gezien om zijn standpunt te becommentariëren of te herzien. Hij dacht veelal vanuit abstracties en als abstractie fungeerde zijn standpunt prima, vond hij. Ester had hem gevraagd hoe hij met de consequenties kon leven, maar hij had haar weggezet als slippendrager van het imperialisme en mentaal kolonisator. Hugo Rask bewonderde zijn vriend en deelde zijn minachting voor alles wat naar liberalisme, het Westen en burgerlijkheid riekte, alles wat comme il faut was. In al hun socialisme, zei Ester weleens tegen ze, zaten ze steeds weer op schoot bij het conservatisme, soms zelfs gevaarlijk dicht tegen het fascistische wereldbeeld aan. Dan snoof Dragan, noemde haar een conformist en carrièrist, twee etiketten die hij altijd paraat hield, en verkondigde dat ze haar huiswerk moest gaan maken, want op dit niveau kon hij zich niet verwaardigen haar beweringen te pareren. Dragan was financieel onafhankelijk en hoefde naar verluidt niet te werken – niemand wist er het fijne van – maar sinds hij in Zweden was fungeerde hij als informeel adviseur en gezelschapsheer van Hugo Rask. Hij sprak Zweeds met een zwaar accent en een uitgelezen grammatica. Decennialang hadden de twee kompanen avond aan avond in de vertrekken van Hugo's atelier zitten praten over de verdorvenheid van de wereld en wat daaraan gedaan zou moeten worden. En ze hadden daadwerkelijk het nodige gedaan om die te verhelpen, dat viel niet te ontkennen. Ester had het allemaal met hongerige energie verslonden: boeken, films, publicaties en reportages over eerdere happenings, die ze in het archief had opgedoken.

In het begin, toen Dragan daar 's avonds met zijn eeuwige sigaretten in het atelier zat, had hij Ester elke keer neerbuigend en spottend aangekeken, alsof hij iets wist wat hij niet zei. Ester had hem willen vragen wat hij dan wel wist, maar beseft waar zijn loyaliteit lag.

Hugo had nooit afstand genomen van de slechtheden waartoe Dragans verfijnde denken onbedoeld geleid had. Hij was te verzot op de provocatie als levenshouding om afstand te nemen van geweld en onderdrukking uit naam van de opstand.

Het opmerkelijke van Hugo Rask, vond Ester Nilsson, was dat het enige wat hem meer aantrok dan de provocatie, de liefde van het publiek was. Het verscheurde hem, want tegelijkertijd vond hij de liefde van het grote publiek onuitstaanbaar, omdat die duidde op meeloperij, lafheid en onverschilligheid tegenover de rauwe waarheden die geen heden ooit het hoofd wilde bieden, maar die de toekomst altijd beschamend helder zag, met een overzienende glimlach om de bekrompenheid van het verleden.

Met koppige trots hadden Dragan en Hugo zich achter de Servische Milošević geschaard. Dat was nog altijd een neteligheid in Hugo's publieke imago, iets dat in lovende artikelen over hem genoemd moest worden opdat de publicist niet het verwijt zou krijgen dat hij het slechte oordeelsvermogen en de onvergeeflijke misstappen van de kunstenaar, of anders diens complexe ziel, verdoezelde. Hij had zijn stellingname moeten bekopen met het nodige gedoe en een paar geannuleerde tentoonstellingen. Ester vroeg hem er eens naar en kreeg als antwoord dat hij niet geïnteresseerd was in het alom gekoesterde, het uniforme en dat wat de elite aanbood. Argumenten voor dat standpunt had hij niet gegeven. Ze had willen doorvragen, willen horen hoe hij zulke parolen wist te rijmen met zijn eigen vertwijfelde wens om alom gekoesterd te worden.

Ze had haar vragen ingeslikt uit angst hun broze intimiteit op het spel te zetten.

Dragan stapte de feestzaal binnen in een zwart pak met zwart poloshirt en de elegante zwarte schoenen die hij ook de eerste keer dat ze hem ontmoette had gedragen. Hij stak malicieus zijn hand naar haar op.

'Jaha, jij bent er ook,' zei hij.

Dat Hugo zelfs hier op het feest door de zijnen werd omringd, maakte het bepaald niet eenvoudiger hardop vragen te stellen over al die onbeantwoorde telefoontjes en andere omissies. Vermoedelijk was dat ook de opzet. Zijn gezicht glom als een rood rond kaasje toen hij haar zag, een zenuwachtig, ongemakkelijk, rood, rond kaasje. Vervolgens bleef hij steeds half afgewend, onderweg naar elders, bang voor vragen als het ware. Toen hij haar ten slotte aankeek, was dat met een aan het brutale grenzende lichtzinnigheid.

'Heb je me gemist?'

De vraag was puur retorisch, een geforceerd spel.

'Ja. Ik heb je gemist. Heel erg.'

Haar woorden ploften onbeholpen en voor dood tussen hen in op de grond. Ze speelde de vraag niet terug, want ze had geen zin zijn antwoord te horen en hem ontwijkend te zien worstelen.

'Zullen we het buffet eens aanspreken?' zei hij.

'Ik heb al gegeten,' zei ze. 'Het is lekker.'

'O,' zei hij, ogenschijnlijk overrompeld doordat ze zich aangesproken voelde. Met een knikje en een gebaar maakte hij duidelijk dat zijn uitnodiging niet haar had gegolden, maar zijn meegetroonde vrienden, uitgehongerd na een dag zwoegen tussen decorstukken en trompe-l'oeilconstructies.

Hij was niet uitgedacht of bestudeerd gemeen. Het was gewoon nalatigheid, onvermogen, als zorgzaamheid vermomde angst. Ester liep weg en praatte met anderen, bleef op afstand.

Toen het feest bedaagd begon te voelen, zocht ze hem weer op. Ze had een afweging gemaakt en geconcludeerd dat ze liever werd afgewezen dan dat ze vol wrok zat omdat ze het niet geprobeerd had. Hij stond iets met een cultuurredacteur te bespreken. Dragan stond erbij. Ze lachten alle drie en leken het ontspannen met elkaar eens. Ester legde haar hand op Hugo's rug. Hij keek haar aan met ogen die in hun kassen heen en weer schoten, op zoek naar een nooduitgang. Ergens begreep ze dat dat genoeg zei, maar dat was ondraaglijk. Dus nam ze hem apart en vroeg: 'Ga je met me mee?'

Ze wapende zich om hem geen vrijheid aan te bieden. Wilde hij vluchten, dan regelde hij dat zelf maar.

'Laten we dan naar mij gaan,' zei hij.

'Ach, laat ook maar,' wilde ze zeggen, maar hield haar mond.

Ze gingen naar buiten. De straatlantaarns glommen kil in de zwart-witte nacht. Ze liepen naar een drukkere weg twee blokken verderop, waar al snel een taxi kwam. Ze realiseerde zich dat ze die keer dat ze in een stralend lentezonnetje gebeld werd of ze een lezing over hem wilde houden op exact dezelfde plek had gestaan. Nu was het er nacht en winter. Hij hield het achterportier voor haar open en ze stapten in. De taxi reed vlot door de Odengatan naar het Odenplein. Ze pakte zijn hand, wilde die vasthouden, maar hij was net een kronkelende worm die de hare probeerde te ontglippen zonder dat ze het als iets finaals zou opvatten.

Cadeaus waar je niet om gevraagd hebt, kunnen ongenadig zijn in hun eisen, hun aanspraken, hun kleffe demonstratie van de goede zorgen van de gever. Het was niet ondenkbaar dat hij haar hand, haar überhaupt, als zo'n cadeau beschouwde. Hij probeerde haar vingers te strelen, maar meer dan gewrijf werd het niet. Hij leek geplaagd door een hevige kwelling die zich tot in zijn hand had voortgeplant.

Ze begreep niet wat voor kwelling dat kon zijn. Ze vond dat ze niets onredelijks eiste. Vrijheid was een deugd die ze hoog hield, maar vrijheid van nabijheid kon ze hem niet bieden; wel de vrijheid haar nader te komen dan hij ooit iemand geweest was en de vrijheid onder zijn eenzaamheid uit te komen. Was er iets mooiers?

De taxi stopte voor zijn deur. Hij liet haar vingers los, pakte zijn portemonnee, betaalde. Had het aan haar gelegen, dan hadden ze de bus genomen, dus ze liet hem begaan.

De derde nacht. Drie nachten in een tijdsbestek van vijf dagen kun je geen vergissing noemen, geen ingeving of dwaling. Ze liepen de trap op naar zijn ongastvrije kot voor wat hun derde nacht zou zijn. Ze kleedden zich uit, kropen in bed, lieten hun lichamen verenigen. Ze vielen in slaap. Het werd ochtend. Hun lichamen verenigden zich opnieuw. Maar er was iets mis. Iets was er de hele tijd mis.

Zijn luxaflex zaten vierentwintig uur per dag dicht, dus op een klein kapot stukje waardoor het licht naar binnen viel na, kon je niet zien of het dag of nacht was, onbewolkt of grauw.

Nu was het ochtend, bleek uit het licht door die kier. De manier waarop hij haar aanraakte klopte. Hij wist hoe je laat zien dat je aanwezig wilt zijn, maar hij was afwezig, en gespannen en ontwijkend bovendien, bang dat ze pratend een ader zouden treffen waaruit gedoe opborrelde.

Al snel was hij aangekleed en klaar om te gaan, eerder dan zij, al waren ze bij hem thuis. Het was alsof hij naar buiten wilde om adem te halen, alsof hij naar een zuurstoffles zou rennen.

'Er is brood en kaas,' zei hij.

‘Moet jij niets eten?’

‘Ik moet naar het atelier, aan de slag. Volgens mij is er ook koffie. Ik heb boodschappen gedaan.’

‘Voor wie?’

‘Je zei dat ontbijt belangrijk voor je was.’

Ze zoende zijn gesloten lippen en hij vertrok. Hij was dus voor haar ontbijt gaan kopen na die woensdagochtend bij de 7-Eleven, oftewel van plan geweest haar nog eens mee naar huis te nemen. Waarom deed hij dan zo vreemd?

De leegte in een woning die een minnaar zojuist heeft verlaten, is groter dan welke leegte ook. Hij overviel haar.

Het is het niet waard, voelde ze.

Het is het altijd waard, dacht ze.

Welke van de twee het ook is, ik kan er niet mee ophouden, dacht en voelde ze.

Ze ging in zijn door geen mensenhand beroerde keuken zitten eten. Langs de onderste helft van de muren lagen stapels kranten, een paar jaar oude cultuurkaternen van *Dagens Nyheter* en *Svenska Dagbladet*. Hij had ze vast en zeker bewaard omdat er een essay of een artikel in stond waar hij op dat moment geen zin in had gehad maar waar hij later doorheen dacht te willen gaan.

Zo is hij in alle zwartkijkerij een optimist, dacht ze. Een optimist zoals utopisten dat zijn, en door het marxisme beïnvloede pessimisten. Op een dag zou hij de kracht krijgen om aan te kunnen waar hij zich nu niet toe kon zetten. Hij stelde dingen uit en droomde van een toestand waarin alles anders zou zijn. Het paradijs was een logische nulliteit, want het leven was frictie en alleen de dood kon frictie laten verdwijnen. Het leven bestond uit niets dan eeuwige nu’tjes waarin je de fut niet had om te doen wat je wilde doen. Er was geen later, want ook later zou een futloos nu worden. Ze geloofde in het paradijs van twee mensen die elkaar ontmoetten. Ze had het ervaren en daarom was het geen utopie. Als anti-utopist geloofde ze niet dat ze artikelen zou willen lezen waar ze nu de fut niet voor had, en waar de maatschappij en mensen zich nu niet toe konden zetten, daar zouden ze zich ook later niet toe kunnen zetten.

Ze keek naar zijn krantenstapels, zo vol van hoop, en werd er jaloers op. Oude, vergeelde kranten bewaarde hij, maar haar behandelde hij achteloos. De wereld was belangrijker. Ze zat daar in zijn levenloze witte keuken en voelde zich triest; er kwamen een paar regels van Sonja Åkesson in haar op: 'Ik zoek een gezonde ziel in een gezond lichaam. Ik heb de krant van minstens honderd dagen bewaard en ooit zal ik de debatten heus op de voet volgen. Ik zie een nieuwe oorlog over de zwart-witte pagina's voortrollen. Ik rende in de beginnende schemering naar buiten en wilde mijn handen door de hemel steken, maar haastte me naar huis om de aardappels niet te laten aanbranden.'

Ze at een boterham met de kaas die hij voor haar gekocht had, die hij misschien wel voor háár gekocht had, en dronk een grote kop zwarte koffie die ze met zijn koffiezetapparaat gezet had. Ook dat leek ongebruikt.

Ze dacht aan zijn zwakke kanten als kunstenaar. Wat hij creëerde werd als grote visuele poëzie ontvangen, maar hoewel een deel ervan interessant en origineel was, waren de tekortkomingen in het werk ook die van hem. Hij durfde zijn pijn, en daarmee die van anderen, niet binnen te gaan. Hij wist niet wat pijn was. Hij bekeek die van buitenaf zonder hem te voelen en kwam daardoor in zijn weergave van de mens niet zo diep als zijn dorst naar grootheid eiste. De reflexmatige leugen en de gewoonte om aan de oppervlakte van al het menselijke te blijven weerhielden hem van wat hij zocht. Op het pijnpunt week hij uit, bij introspectie evengoed als wanneer hij de buitenwereld observeerde. Uit angst voor wat hij zou aantreffen waagde hij het niet zichzelf te onderzoeken om te begrijpen wat er in anderen school. Hij wilde niet begrijpen wat er in anderen school, want wie weet sluimerden er agressie en aanklachten jegens hem. Daarmee wilde hij ook het bestaan niet onder ogen zien, hoewel hij dat wel beweerde te doen. Hij bekeek de mensen van buitenaf, behavioristisch, nooit fenomenologisch. Hij wilde zelf kunnen aanklagen, niet begrijpen. Het resultaat was begrensde kunst. Hij wist echter als geen ander van zijn begrenzingen een deugd te maken, de zwakte te verhullen, die virtuoos te laten ogen. Dat was zijn grote talent, waarmee hij de wereld bedroog. Daaruit bestond zijn werkelijke kunstzinnige kracht.

Met een wraakzucht die haar verbaasde welden de gedachten aan zijn onbeduidendheid in haar op. Ze vond het groots van zichzelf dat ze ondanks die gebreken van hem hield en dat hij haar daar dankbaar voor zou moeten zijn.

Toen ze klaar was met eten en had afgewassen, legde ze een briefje in de koelkast met een van de gewoonste liefdesverklaringen die de taal kent. Onderwerp, gezegde, lijdend voorwerp.

Het briefje had een onmiskenbaar overredend trekje. Het was een smeekbede, een boei. Toen ze de koelkast dichtdeed, zag ze op het aanrecht een doosje met een natuurlijk middeltje tegen verkoudheid en nog een handgeschreven briefje: 'Deze pillen slikken, dan word je snel weer beter!!! Liefs, Eva-Stina'.

Die drie uitroeptekens duidden op een slecht stijlgevoel of op een prangende behoefte om gehoord te worden. Ze wist zich te herinneren dat hij vlak na de vrije decemberdagen verkouden was geweest. Ze waren uit eten gegaan, hoewel hij zat te hoesten en proesten.

Eva-Stina was de jonge vrouw die voor hem werkte en Ester die herfst scheef had aangekeken. Zo'n briefje schreef je niet als je niet een beetje verliefd was, niet in deze bewoordingen. Een briefje was altijd betekenisdragend, niet in de eerste plaats de tekst ervan, maar de handeling, het schrijven. Iets wat inderdaad ook opging voor het briefje dat ze zojuist op de bovenste plank van de koelkast had gelegd, al was dat explicieter. Daarop stond meer dan 'Ik hou van je'. Rekeninghoudend met de omstandigheden, de achtergrond, haar persoonlijkheid, de context en de subtekst stond er eerder: 'Ik hou van je met hart en ziel, ik doe de hele tijd aardig tegen je, ik wil niets dan goeds voor ons, dus waarom geef je jezelf het recht je zo te gedragen?'

Toen ze het natuurlijke geneesmiddel en het zorgzame regeltje erbij optelde bij Eva-Stina's scheve blikken en de herinnering dat Hugo een paar weken geleden, terwijl hij zich ontypisch op zijn hoofd krabde, 'Zij met die dubbele naam die ik altijd vergeet' had gezegd, kreeg Ester het vermoeden dat dit niet iets onschuldigs was. Dit briefje was meer dan een briefje. Eva-Stina lag op de loer, beidde haar tijd, had hem doordat ze met hem samenwerkte steeds tot haar beschikking. Of hadden ze al een verhouding? Was dat waarom hij de afgelopen dagen zo vreemd had gedaan?

Dat kon niet. In dat geval zou hij haar afgelopen nacht en de vorige keer niet mee naar huis hebben willen nemen en had hij haar afgelopen woensdag niet moeten voorstellen om bij hem op de hoek te gaan ontbijten.

Ze raapte haar spullen en zichzelf bij elkaar en liep zijn appartement uit. Onderweg naar de bushalte liep ze te piekeren. Sommige mensen zagen er geen bezwaar in hun liefdesleven, of eigenlijk hun seksleven, zo in te richten dat ze er zonder het te zeggen meerdere partners op na hielden. Merkwaardig genoeg waren het dezelfde mensen die zich er geërgerd over verbaasden hoe vermoeiend dat gegoochel met tijden was, met leugens en afspraakjes en het werkelijk bestaande bestaan van anderen, met alle eisen, verwachtingen en verlangens van dien. Je zou ze op necrofilie moeten kunnen wijzen, dacht ze. Op de doden en hun absente claims op de drukbezette hardwerkende seksueel hooggespannen genieën.

De rest van de dag dacht ze aan zijn zwaktes als kunstenaar. Het bood wat verzachting.

Sinds hij een etentje bij Ester thuis had voorgesteld zodat ze tot vleselijke omgang konden komen, was ze ervan uitgegaan dat hij daarmee zijn mogelijke verhouding met die mogelijke vrouw in Skåne had beëindigd. Alles wees erop dat het eerder een gemaksvoorziening dan een liefdesrelatie was geweest. Aan de andere kant bewees het natuurlijk iets als je om het weekend zo'n lange reis maakte om iemand te zien. Dat deed je niet bepaald uit gemak.

Hij had er zo lang over gedaan om naar haar toe te komen

omdat hij eerst orde op zaken wilde stellen, dacht Ester. Hij had gewacht zodat het tussen hen mooi zou zijn. Zuiver en mooi.

Die dag, een vrijdag, verliep traag. Vanbinnen rustte als een zeurende pijn de wroeging. Ze zei tegen zichzelf dat twee mensen die de lichamelijke ontmoeting zijn aangegaan en die van elkaar houden vertrouwen moeten hebben. Er was veel dat voor hen pleitte. Het kwam erop aan nuchter te blijven en die knoop in haar maag te negeren.

Sinds ze seksueel actief waren, hadden ze niet één keer over wezenlijkheden gesproken, maar ook daar hadden ze de tijd voor. Alle belangrijke dingen vroegen tijd. Voor alles was een tijd. Niets aan de hand. Dit was beter gegaan dan ze die zaterdag in oktober had durven dromen. Dat waarnaar ze in november en december tot gekmakends toe had gehunkerd, had plaatsgevonden. Ze had alles gekregen waarover ze gefantaseerd had. Het was ongelofelijk. Het zag er zonnig uit. Het was een dag vol zonneschijn. Maar weer een dag dat het haar niet lukte te schrijven. Haar schamele pogingen resulteerden in dode zinnen die de tekst in lijklucht hulden.

De vrijdag sleepte zich voort. Het zou de meest gestelde vraag kunnen zijn sinds de uitvinding van de telefoon: waarom belt hij niet? Het was twee uur, drie uur, vier uur en hij belde niet. Ze ging op bed liggen met Majakovski's 'Een wolk in broek' omdat hij dat een belangrijk werk had genoemd. Het was een geweldige titel, het gedicht had zijn verdiensten, maar veel ervan deed haar niets. Ze was afwisselend woedend op hem en vol van de grootst mogelijke tederheid en liefde voor alles wat door hem of waardoor hij was aangeraakt (enkele vanzelfsprekende uitzonderingen daargelaten).

Ze had besloten om hem niet te bellen. Hij was hard aan het werk, ze moest hem respect tonen en laten zien dat ze een onafhankelijke, zelfstandige, autonome volwassen vrouw was die zich zonder voortdurend contact wist te redden. Ze vond het weliswaar vreemd dat je níét steeds contact wilde hebben met degene met wie je net een liefdesrelatie was begonnen, maar ze moest meegaand zijn.

Ze pakte een ander boek en las in *Hitlers tafelgesprekken*, dat hij ook had aanbevolen. Hij had het boek willen bestuderen om te begrijpen hoe het allemaal had kunnen gaan zoals het gegaan was en om op tijd de tekenen te leren zien. Overal in het huidige tijdsgewricht zag hij tekenen dat het nazisme en fascisme in samenlevingen met een parlementaire schijndemocratie immer latent aanwezig waren. Vooral als hij veel met Dragan had gesproken, was het hem overduidelijk.

Ester las. Ze zou hem vandaag absoluut niet bellen. Ze belde. Hij nam niet op. Het werd acht uur. Ze vroeg zich af om welke reden hij op hun eerste vrijdagavond samen niet bij haar wilde zijn. Ze begreep het niet. Maar je mag er geen druk op zetten. Je mag er nooit druk op zetten. Alleen attent en welwillend zijn, zonder dat het verstikkend wordt. Alles heeft altijd een logische verklaring, dacht ze. Hij zat in een fase van noeste arbeid. Hij voelde zich vertrouwd bij haar en hoefde niet de hele tijd te laten weten wat hij deed of zich met haar te verstaan, want ze hadden ononderbroken zielscontact. Ze wisten wat ze aan elkaar hadden.

Wat ze nu beslist niet moest doen, was zich wroeging op de hals halen door een sms'je te sturen waar geen antwoord op kwam. De uitvinders van sms en e-mail moeten geen idee hebben gehad van de wroeging vanwege uitgebleven antwoorden. Of er het juiste inlevingsvermogen voor hebben gemist. Haar vingers jeukten om een sms'je te sturen en de opluchting te voelen die het gaf als je iets verzond – en die de daaropvolgende minuten, als je nog op een antwoord kon hopen, aanhield. Een paar keer had ze haar telefoon vast en begon ze aan een berichtje, maar wiste het telkens en legde het ding ver van zich af.

❧

Toen ze wakker werd, was het zaterdag. Ook die dag kon ze niet werken. Schrijven was voor haar nooit een vlucht, het was weerstand en in weerstand vlucht je niet weg. Ze moest zich ergens mee bezighouden terwijl ze het begin van haar leven afwachtte. Ze keek op haar telefoontje. Had ze het geluid per ongeluk uit gezet? Nee. Er was niemand die haar had gebeld of een sms'je had gestuurd zonder dat ze het gemerkt had. Ze belde vanaf de vaste lijn naar haar mobiel om te controleren of die het deed. Stuurde zichzelf een sms'je. Alles bereikte haar zoals het hoorde.

Ze ging de stad in. Het was koud buiten. Het was een uur of twaalf, misschien zelfs al tegen enen. Ze slenterde rond, at een Turkse burger in de markthallen van Hötorget, liep doelloos een paar kledingwinkels binnen en kneep mechanisch in de stoffen. Hij hoefde alleen maar van zich te laten horen en te vertellen wat er aan de hand was, dat was haar enige wens. Hij had ergens tussen woensdagochtend en donderdagavond ontbijt voor haar gekocht. Dat moest wel betekenen dat enz. Ze liep de Kungsgatan af, het Stureplein over, de Birger Jarlsgatan in. Bij antiquariaat Rönnels zag ze een boek dat ze hem wilde geven, maar ze besloot nog een weekje met dergelijke aankopen te wachten. Ze wist niet of hij meer boeken van haar wilde hebben en of ze elkaar überhaupt nog zouden zien. Ze begreep het niet. Het ergste was niets te begrijpen van iets waar ze midden in zat, iets wat beslag op haar had gelegd. Geen enkele pijn lijkt op die van het niet-begrijpen.

Het was drie uur, hij belde niet. Ze zat in een café met een kop koffie en een vanwege de situatie extra groot stuk gebak. Voor haar lag een boek waarin ze probeerde te lezen. Het was vier uur. Ze ging naar de bioscoop en zag een thriller over de CIA, van het soort dat ze nooit helemaal volgde maar waarvan ze ook nooit kon achterhalen wát ze nou miste. Tijdens de film dacht ze hoe opgelucht ze zou zijn als hij juist nu zou bellen. De inwendige knopen zouden oplossen alsof ze er nooit geweest waren en ze zou weer mens worden. Zelfs hij kon niet eeuwig aan het werk zijn. Of zat hij misschien echt in een extra intensieve fase?

Ook van deze CIA-film begreep ze de intrige niet. Al die intriges waren gemaakt voor degenen die ze schreven en niet voor het publiek, dacht ze. Ze hadden zo lang aan hun film geschreven dat de gebeurtenissen hun logisch voorkwamen. Ze schreven het werk vanaf de achterkant terwijl de kijkers het van voren zagen.

Er kwam iets in haar op wat ze tijdens de minuten daarop formuleerde.

Waar natuurkundigen het hoofd over breken:

Dat we ons niet herinneren wat nog niet heeft plaatsgevonden.

Waar filosofen het hoofd over breken:

Dat we ons alleen iets herinneren omdat het heeft plaatsgevonden.

Waar psychologen het hoofd over breken:

Dat we ons herinneren wat ons uitkomt.

Waar politici het hoofd over breken:
Dat de bevolking een geheugen heeft.
Waar medici het hoofd over breken:
Dat het geheugen ons in de steek laat.
Waar ongelukkige geliefden het hoofd over breken:
Dat we veranderen door de herinnering aan wat er is gebeurd.

Ze keek de zaal rond. Veel mensen zaten er niet, maar degenen die er waren leken geboeid. Misschien waren ze van het type dat niet voortdurend leed en gekweld werd, dat zowel nu als straks, wanneer de film was afgelopen, een leven had.

Opeens had ze een sterk voorgevoel, zag ze voor zich dat Hugo en zij elkaar die avond zouden zien, ze zouden samen eten, drinken, lachen en vrijen. Over een tel zou hij haar bellen, vrolijk en luidruchtig, en zou deze nachtmerrie voorbij zijn.

'Wat doe je vanavond? Heb je honger?' zou hij roepen, en zij zou met geen woord laten blijken wat ze had doorgemaakt – nooit verwijten maken – maar gewoon antwoorden: 'Ja! Ik heb honger! Hoe laat?'

Nog een uurtje en ze zouden in een restaurant zitten en met een glinstering in zijn ogen zou hij over de tafel reiken om haar wang aan te raken. Ze had al eerder doodsangsten uitgestaan, gedacht dat alles over was, voordat hij plotseling van zich liet horen. Ze moest vooral volhouden, er niet bovenop gaan zitten.

Het inzicht kwam aanzetten als een meteoriet en sloeg even hard in als die van zeventig miljoen jaar geleden, die tot de dood van de dinosaurussen had geleid. Wat er op het filmdoek gebeurde zag ze niet meer, toen in een razende seconde vanbinnen alles omsloeg en het tot haar doordrong wat er aan de hand was. Ze begreep wat vanzelfsprekend maar onvoorstelbaar was, dat hij dit weekend natuurlijk bij die vrouw in Malmö was. Het was immers twee weken geleden en hij was daar net als altijd om het weekend. Je kon een atoomklok op zijn reisjes naar Malmö gelijkzetten. Vorige week zaterdag hadden ze elkaar bij Ester thuis gezien en dit weekend was het weer tijd voor Malmö. De gedachte was de afgelopen week niet één keer in haar opgekomen omdat de handeling te absurd was, maar het verklaarde zijn gedrag van de laatste paar dagen volledig.

De film was op de helft. Ze bleef zitten terwijl de zwartste wroeging ooit in golven van arsenicum en lood door haar heen rolde.

Waarom bleef ze zitten? Omdat ze vanaf het moment dat haar vermoedens bevestigd waren toch niets kon doen, nergens naartoe kon. Ze kon net zo goed in een bioscoop zitten.

Na de film liep ze naar zijn straat. Het was grauw, guur weer dat niet tot een avondwandelingetje uitnodigde. De straatlantaarns brandden, winkeleigenaren deden de lampen in hun achterkamertjes uit, sloten met rammelende sleutelbossen af en slaakten, met de vrije zondag voor de boeg, een opgeluchte zucht. Ester liep naar zijn huizenblok, om helemaal zeker te zijn.

Dat het zo lang duurde voordat ze het doorhad, kwam doordat ze niet begreep welke kijk je op het leven en andere mensen had als je zoiets deed. Haar hele idee van de mensheid als één en psychisch uniform wankelde. Deze manier om met de materie om te gaan was te vreemd.

Al van een afstandje zag ze dat het atelier vergrendeld was. Met de zekerheid nam de pijn toe; kennelijk was er toch nog een restje hoop geweest. Alleen wanneer hij de stad uit was, was zijn atelier vergrendeld en de traliedeur op slot. Decorstukken werden hier vanavond niet gebouwd. Ze stak de binnenplaats over, ging de trap op naar zijn appartement en keek door de brievenbus naar binnen. Geen straaltje licht te bekennen.

Ze had van Hugo begrepen dat er in zijn atelier van 's ochtends vroeg tot 's avonds laat, doordeweeks en in het weekend, gewerkt werd. Hij had haar doen geloven dat hij een drukbezet man was, een hardwerkende kunstenaar die niet gestoord mocht worden en van wie niemand iets verlangen kon omdat hij voor de kunst werkte, kunst over hoe mensen zich ten opzichte van elkaar gedroegen, over slordig kwaad, over machtsuitoefening en onmacht. Maar nu rustte hij ervan uit.

Hier en daar lag een laagje ijs en de wind sloop door de straten, ging de hoeken om en prikte zijn boosaardige naalden in kragen en boorden. De temperatuur schommelde tussen pap en bevriezing. Overdag een brij, 's avonds een dun korstje ijs.

Voor de zoveelste keer liep ze van zijn atelier naar de bus. Toen ze was ingestapt, haalde ze haar telefoon tevoorschijn en begon aan een berichtje. Toen ze een kwartier later uitstapte was het klaar en ze verzond het zonder te overwegen om het niet te doen. Het was een sterk gereduceerd bericht, met de gespannenheid van achter hooghartigheid schuilende angst en paniek. De toon ademde in zelfrespect gewortelde minachting. Het was een bericht om je aan te snijden. En met alle rechten van de afgewezene maakte ze hem verwijten.

Het was slechts tekst, ze was het niet zelf, ze was het als tekst. In de fysieke wereld ontbrak zowel hooghartigheid als zelfrespect. In die wereld zakte ze als een los hoopje in elkaar.

Toch was er een korte triomf nadat het berichtje verstuurd was. Zowel de handeling van het schrijven ervan als het feit dat ze in harde, welgeformuleerde stoten haar woede op hem kon richten, zorgde ervoor dat de pijn even afnam. En het was contact, een bepaalde vorm van menselijk treffen dat de ondraaglijke stilte doorbrak. Hij zou het berichtje lezen en aan haar denken, en antwoorden.

Maar er kwam geen antwoord. Er kwam helemaal niets. De zaterdagavond verstreek. De zondag verstreek. Op maandagochtend was er anderhalf etmaal voorbij zonder een kik van Hugo. Hier werd gedemonstreerd hoe je een mens sociaal ombrengt.

Ze ging midden op de dag naar het Centraal Station en vatte post op het perron van de treinen van en naar Malmö, maar het was onbegonnen werk. Er kwam er één per uur en de kans was klein dat het raak was. Horden mensen stroomden vanuit de vele treinstellen naar de diverse stationsuitgangen en ze zag hem niet. Twee uur en drie binnenkomende treinen lang stond ze te wachten. Toen ging ze naar huis waar ze een mail schreef waarin ze de hele opeenvolging van gebeurtenissen droog analyseerde.

'Hoe meer jij zwijgt, hoe meer ik spreek, dat is hegeliaans,' schreef ze. Ze geneerde zich voor het pretentieuze gehalte, maar liet het staan. Ze legde hem de objectieve omstandigheden die ze als verklaring voor zijn handelen kon bedenken voor, presenteerde alle denkbare en zelfkritische zienswijzen, toekomstpanorama's en interpretaties die haar fantasie kon oproepen, behalve één: dat ze geen recht had op een verklaring. Daar liep de grens. Ze schreef dat ze begreep dat je de waarheid voor je hield als je in een wereld leefde waarin je ervoor gestraft werd en dat haar moraalregels misschien zo hard waren dat hij de waarheid niet wilde zeggen. Ze opperde dat ze te snel was gegaan en geen open oor voor zijn behoeften en tempo had gehad. Maar ze vond dat ze recht had op een verklaring omdat zij twee met elkaar verbonden waren. Door haar lichaam binnen te gaan had hij verantwoordelijkheid op zich genomen, hij had haar iets voorgespiegeld dat voltooid moest worden. Dat gaf haar bepaalde rechten en een daarvan was zijn verklaring te mogen horen.

Ze keerde alle zienswijzen binnenstebuiten, behalve die dat ze geen rechten had. Zich zo afstandelijk tot het leven te verhouden of zichzelf zo te verachten, kwam niet in haar op. Een deel van het koor vriendinnen kon dat gebrek aan acceptatie dan wel zelfverachting bijna niet uitstaan. Degenen die veel moeite hadden gedaan van hun behaagzucht af te komen, dan wel zich netjes en niet storend te gedragen, raakten geïrriteerd door de zelfingenomenheid in het niet willen weten wanneer je niet gewenst was. Ze zeiden tegen haar dat hij haar niets verschuldigd was. Ze lichtte hun redenering door en concludeerde dat ze zich niet in hun analyse kon vinden.

~

Kracht en bekwaamheid roepen bewondering op, maar geen liefde. Liefde wordt ingegeven door wat barsten vertoont. Het gebarste alleen is echter niet voldoende. Het moet worden gecompleteerd met zelfstandigheid en zelfrelativering. Barstjes scheppen tederheid, maar vroeg of laat roept het tederheidwekkende agressie op. Van het zuivere gebrek kun je vanwege zijn hulpeloosheid net zo onmogelijk houden als van de gestaalde kracht.

Of ze zich nu sterk, zwak of een en al craquelé maakte, Ester kreeg geen antwoord. De hele week lang gaf hij geen enkel teken van leven.

Haar adem was jachtig en ze voelde een druk op haar borst, die niet verdween. Elke avond nam ze de bus naar zijn straat. Achter de ramen brandde weer licht, het werk in zijn atelier was hervat. Ze leek geen andere keus te hebben dan degene met wie ze vorige week in slaap gevallen en wakker geworden was en twee weken geleden had gelachen en urenlange gesprekken gevoerd, nu vanaf een straathoek te observeren, net als toen het allemaal nog beginnen moest.

Op vrijdag, een week nadat ze elkaar voor het laatst gezien hadden, die laatste ochtend duizend jaar geleden, nam ze een besluit en stapte ze nogmaals op de bus. Het moest maar eens uit zijn, ze was niet van plan dit laffe ontwijken maar te blijven accepteren.

Het was zes uur 's avonds. Ze stapte zonder aan te bellen zijn atelier binnen en liep de trap op. Daar, op de eerste verdieping, achter zijn massieve bureau, zat hij te werken. Hij keek over zijn brillenglazen, niet ontzet, niet bang, niet blij. Hij zei: 'Jij hier.'

'Ja. Ik hier.'

Zijn ellebogen leunden op het bureau en zijn handen waren losjes gevouwen, hij liet niet blijken wat hij dacht. Ester verzocht hem te mogen spreken, zei dat het noodzakelijk was en hoewel hij weinig animo toonde staken ze de straat over naar het restaurant waar ze altijd bij brandende waxinelichtjes hadden gezeten. Het kwam haar nu onbekend voor. Het personeel begroette hen echter hartelijk als een stel vaste gasten en maakte meteen hun favoriete tafeltje in een hoek voor hen klaar.

Ze hoorde hem tegen de serveerster zeggen dat ze niet heel lang zouden blijven.

Hij bestelde staande een glas wijn voor zichzelf. De serveerster wachtte attent maar discreet op nog een bestelling maar toen die uitbleef liep ze naar de keuken. Toen ze wegliep keek Hugo vlug naar Ester en zei dat zij misschien ook wel iets zou willen. Ze knikte.

Hugo ging zitten op het puntje van de stoel, zijn gewicht voornamelijk op zijn onderbenen en voeten, hij zat te draaien, keek naar alles behalve haar, klaar om ervandoor te gaan.

Ze zag het wel, maar voelde liefde. Verklaringen hoefden niet meer. Alles wat ze had willen vragen, alle amechtige ideeen bleken slechts een excuus geweest om hem te kunnen ontmoeten. Ze wilde hem zien, meer niet. Ze wilde dat ze een verhouding hadden, dat was alles. Ze miste hem oneindig veel, zo simpel was het. Ze wilde urenlang met hem zitten praten en daarna met hem mee naar huis gaan en dan morgen wakker worden met een lange zaterdag voor de boeg. Als ze samen waren, kwam ze niets te kort.

'Ik moet zo weer terug,' zei hij. Zijn fladderende blik stuitte op de hare. 'Veel te doen. Zit in een enorm intensieve werkfase.'

De illusie werd verbroken en de kilte keerde terug. Het afspraakje dat ze had afgedwongen moest opnieuw gerechtvaardigd en verklaard worden met hardheden als moraal en de behoefte te begrijpen, niet met de zachtheid die ze zojuist gedacht had.

Ze had veel zin om te zeggen dat hij vorig weekend ook al in een enorm intensieve werkfase had gezeten, maar ze besloot niet sarcastisch te worden. Sarcastische opmerkingen moest je altijd met wroeging bekopen.

'Ik heb op alle mogelijke manieren contact gezocht,' zei ze.

'Dat heb ik gemerkt.'

Er viel een stilte terwijl ze zijn steek incasseerde.

'Waarom gaf je geen antwoord?'

'Op welke van al je vragen had ik antwoord moeten geven? Je had er nogal wat. Ik geloof eerlijk gezegd niet dat ik ooit zoveel vragen bij elkaar heb gezien.'

'Ik heb ook ge-sms't. En gebeld.'

'Ja, ik weet het.'

'Bedoel je de mail die ik je maandag gestuurd heb?'

'Ik weet niet op welke dag hij binnenkwam. Het was natuurlijk geen doen om op al die vragen antwoord te geven.'

'Waar zou dat toch door komen, denk je, dat ik me de afgelopen week zoveel heb lopen afvragen?'

'Geen idee.'

'Nee. Soms is het lastig te zien hoe een en ander samenhangt.'

Hij leegde zijn glas in een paar gejaagde slokken.

Ze ademde kort en snel.

'Ik zat met zo veel vragen omdat er aan jouw gedrag geen touw was vast te knopen. Drie maanden lang hebben we elkaar gezien en een intimiteit opgebouwd. Dat culmineert in drie erotische ontmoetingen die we volgens mij allebei als onvermijdelijk beschouwden. Driemaal een erotisch samenzijn in zes nachten tijd. Vervolgens gedraag jij je stuitend, op een bovendien raadselachtige manier. Zodat ik maar moet gissen. Wie een ander wil kwellen, moet vooral doen wat jij de afgelopen week met mij gedaan hebt.'

Hij zei niets. Draaide zijn lege glas rond, keek om zich heen. Hij leek geen schuld te voelen en wekte niet de indruk te zwijgen uit onzekerheid over wat hij moest zeggen. Hij wilde gewoon de boeien ontvluchten die zij hem had omgelegd en zweeg zoals je zwijgt bij iemand die het toch niet zal begrijpen, die zich in een andere wereld bevindt met andere spelregels, aan de overkant van een kloof die elke discussie zinloos maakt.

'Ik ben de hele week radeloos geweest. Ik weet niet wat ik moet doen.'

'Als je down bent, moet je met iemand gaan praten.'

'Ik praat al met iemand. Hier en nu.'

'Iemand die er verstand van heeft. Een professional.'

'Die verstand heeft van gebroken harten? Er is één iemand die me met mijn probleem kan helpen en dat ben jij.'

'Ik moet helaas weer aan het werk.'

In de matte klank van zijn stem en zijn vermoeide ogen vermoedde ze opnieuw die weet van ontoereikendheid. Een ontoereikendheid die verbeend was, die was verworden tot een abstracte afschuw van de vrouwen die hem, die grootsere zaken aan zijn hoofd had, hun eeuwige liefdesclaims oplegden, die zwaaiden met hun lasso van gekir en bezittelijke toeslagen en altijd hun pijnlijk kloppende hart als excuus aandroegen.

'Het was passie,' zei hij. 'De passie nam ons in bezit, zoals passies dat doen. Jou misschien in het bijzonder.'

'Dank je, wat zeg je dat aardig.'

'Maar het is waar. Jij hebt er klaarblijkelijk meer last van dan ik. Ik ben niet radeloos geweest.'

Ze duizelde even van de kwaadwilligheid of de haat achter die woorden, als bij een plotseling zuurstoftekort.

'Dus in jouw wereld is passie geen liefde?'

'Het zijn twee verschillende zaken.'

'Niet eens verwant?'

'In de verte misschien. Maar met een passie ga je 's zomers niet uitgebreid op vakantie en je woont er geen jaren mee samen.'

'Wat een interessante definitie. Hij lijkt me alleen niet algemeen geldig en dat maakt hem als definitie helaas waardeloos. Ik zou 's zomers graag uitgebreid met je op vakantie gaan en voor de rest van de eeuwigheid met je samenwonen. Ik zou trouwens ook 's winters wel op vakantie willen.'

'Ik niet.'

'Dus wat wij hadden had niets met liefde te maken? Wat goed dat je dat hebt opgehelderd.'

Met zijn tanden bewerkte hij zijn lippen, schraal en vellerig door de winterse kou, maar met genezen kloofje. Zijn lichaam stond strak, maar met een zucht liet hij nu zijn schouders zakken.

'Je werd afgelopen zaterdag ook zo ongelofelijk kwaad. Dat sms'je dat je stuurde was zo beangstigend. Logisch dat je je dan terugtrekt. Dan wordt het naar.'

'En je kunt werkelijk niet begrijpen waarom ik kwaad was?'

'Jawel, misschien wel.'

'Vind je dan niet, na wat er tussen ons geweest is, alles wat we samen gedaan hebben en alles wat daar tussen de regels uit op te maken viel, dat ik het recht had om verontwaardigd te zijn, dat ik het recht heb om te weten hoe jij over jou en mij denkt? Je hebt bezit van me genomen. Je bent mijn lichaam binnengegaan. Vind je dan niet dat dat me op de een of andere manier een bevoorrechte positie geeft waarvoor jouw integriteit moet wijken en dat het als het ware je plicht is om met me te praten over door jou verrichte handelingen, die mij zo hard treffen dat ik letterlijk moeite heb om overeind te blijven? Ik ga haast dood van deze wroeging.'

'Je hebt de antwoorden toch al. Wat jij doet is geen vragen stellen. Je poneert beweringen en aanklachten. Volgens jouw voorbeeldige waarden is alles bij voorbaat duidelijk. Je hoeft me alleen nog maar tot een bekentenis te dwingen en aan je te onderwerpen en klaar is Kees.'

'Ik heb een hekel aan onderwerping. Ik wil alleen dat we samen zijn en elkaar mentaal nabij zijn. Meer niet. Waarom ben je me niet tegemoetgekomen in plaats van er het zwijgen toe te doen? We hadden een relatie tot stand gebracht. Dan kom je elkaar toch tegemoet, ook als er woede en ongemak opkomen?'

Hij zat te schuiven op zijn stoel. Hij was half buiten.

'Je agressiviteit sterkte me in mijn beslissing je niet te vertellen waar ik dat weekend naartoe ging. Je zou woedend zijn geworden en het niet geaccepteerd hebben.'

'En toen werd ik alsnog woedend.'

Hij zweeg en liet de ontbrekende zin, die niet als menselijke mogelijkheid in Ester leek op te komen, achterwege: dat hij dit soort situaties altijd had opgelost door zich ongevoelig terug te trekken. Hij haakte af. Hij kwam niemand tegemoet. Ze konden nemen wat hij te bieden had of anders niet. Gedoe was niets voor hem. Genotsmiddelen die ongemak gaven in plaats van genot schoof je terzijde. De gemakkelijkste manier om woede te ontwijken was je niet te bemoeien met degene die je leed had berokkend.

'Wordt zij nooit boos?' vroeg Ester.

'Wie?'

'Die vrouw in Malmö.'

'Er is geen vrouw in Malmö.'

Hij beet op zijn nagels en tuurde naar de straat waar vrijheid lag. Het bleef lang stil. Hij zat op het uiterste puntje van zijn stoel te schuiven, voorovergebogen, onderweg. Ze hadden geen eten besteld en zouden dat ook niet doen. Ester had helemaal niets besteld.

Het ongemak hing zinderend tussen hen in.

Plotseling lichtte zijn gezicht op alsof hem iets leuks, iets luchtigs te binnen schoot waarmee hij aan hun samenzijn kon bijdragen. Hij zei: 'Ben je nog steeds zo aan het hardlopen?'

De vraag bezat ongekende reikwijdte. Ze maakte eruit op dat ze op geen enkele wijze in zijn leven meetelde, dat ze gruwelijk ver van hem af stond. Haar claims en aannames over een onuitgesproken verbondenheid moesten wel onbegrijpelijk, haast mysterieus overkomen als hij de buitenwereld zo opvatte dat hij haar opgewekt kon vragen *of ze nog steeds zo aan het hardlopen was.*

Het was een poging om aardig te zijn, dat besefte ze. Mensen die anderen op afstand houden zijn vaak aardig. Ze bezigen gebaren van vriendelijkheid, die niets kosten. Wat met anderen van doen heeft, laat hen grotendeels koud en dan liggen de gebaren van vriendelijkheid meer voor de hand dan die van valsheid, die slechts ongemak en gedoe opleveren. Gebaren van vriendelijkheid zorgen ervoor dat je met rust wordt gelaten.

Hugo Rask was zo iemand die wilde dat men van hem zou zeggen dat hij sympathiek was. Hartelijk en attent, dat wilde hij zijn. Het hartelijkst bejegende hij vreemden. Hoe beter die vreemden hem leerden kennen, des te harder en killer werd hij.

Hij trommelde op de rand van de tafel, zijn blik verlangend richting atelier.

Ze stonden buiten het restaurant op de stoep. Hij wiebelde van zijn ene voet op zijn andere, stond rusteloos te stampen. Ester zou gaan. Hier zou het vanavond bij blijven, hier zou het überhaupt bij blijven. Ze tilde haar hand op en legde die tegen zijn wang, liet hem daar een paar tellen liggen voordat ze haar arm liet zakken, zich omdraaide en wegliep.

Er lag sneeuw op de stoep, verse sneeuw die in pap veranderde. In de spiegel van een geparkeerde auto zag ze dat hij was blijven staan en haar nakeek.

Ergens wist ze dat zodra gezeur en verwijten achterwege blijven tegenstand zinloos wordt en superioriteit in zwakte verandert. Tegenzin verandert in verlies, onwil in twijfel. Alleen niet in die mate dat hij haar terugriep.

Ze volgde hem in de autospiegels en zag hoe hij zich uit zijn verstening losmaakte, de straat overstak en door de deur zijn habitat binnenstapte.

❧

Om als een levend mens over te komen ondernam ze dingen, probeerde ze activiteit tot stand te brengen.

Ze ging naar Parijs.

Iemand met wie ze bevriend was en die daar sinds een half jaar was gestationeerd haalde haar over om daar haar levenslust wakker te komen schudden en haar gedachten te verzetten. (Interessant genoeg is de vriendschap met iemand met wie je bevriend bent over het algemeen vager dan die met iemand die gewoon een vriend van je is, net zoals een vraag beantwoord krijgen vager is dan een antwoord op je vraag krijgen. Dit was zo iemand met wie Ester bevriend was. Iemand die meer was dan een bekende, maar met wie ze niet hecht was.)

Ze nam haar intrek in het New Hotel bij Gare du Nord, een claustrofobisch klein etablissement dat in geval van brand nog niet eens zijn kakkerlakken zou kunnen evacueren. Ze kreeg een miniem kamertje op de derde verdieping toegewezen, met stofnesten in de hoeken en een plastic matrasovertrek. De gedachte aan de lichamelijke gemeenschap die tot deze voorziening had genoopt deed pijn, maar niet meer dan wat er verder zoal met bot en scherp gereedschap tussen haar interne organen hamerde en stak. Eindeloos herkauwde ze de hele geschiedenis, voor zichzelf of wie een luisterend oor bood, en bedacht zich wat ze toen en toen anders gedaan zou hebben als ze van deze uitkomst had geweten. Had ze het geweten, dan had ze vanaf het moment dat ze met Hugo naar bed ging geen stap hetzelfde gezet.

Eén vergissing zat haar dwars. Ze had het niet kunnen voorkomen omdat alles stoelde op een beoordeling en een inschatting die ze niet als verkeerd kon zien. Dat woede in de liefde verboden was, was haar onbekend. Ze kon zich niet voorstellen dat één enkele woede-uitbarsting, namelijk het sms'je van die zaterdagavond toen ze na de film zijn donkere atelier zag, genoeg was om alles kapot te maken. Volgens haar was woede juist ook als je elkaar na stond toegestaan.

Misschien had ze gelijk dat dat de algemeen geldige opvatting was, dacht ze. En vergiste ze zich in hoe na ze elkaar stonden.

Het nabij-zijn dat woede toeliet, was een nabij-zijn dat hij niet met haar zocht.

Maar waarom wilde hij fysieke intimiteit als hij geen nabij-zijn met haar zocht? En waarom die lange, intensieve gesprekken gedurende maanden van voorbereiding?

Ze begreep het niet.

Als ze hier ooit een gedicht over zou schrijven, dacht ze, zou ze het 'Begrijp het niet' noemen.

Ze had vriendschappen gehad die geen woede verdroegen. Ze waren er gewoon niet sterk, hecht en liefdevol genoeg voor geweest, niet van het soort dat de mogelijkheid van botgevierde teleurstelling kende, er was geen emotionele dekking voor confrontaties geweest. Dat was, vermoedde ze, hoe hij hun contact had gezien. Hij was niet genoeg aan haar gehecht om ook maar enig gedoe op de koop toe te nemen.

In haar sombere hotel in Parijs zette ze de wekker elke ochtend om zeven uur, ging naar beneden voor het Franse ontbijt en zat vervolgens op haar kamer te schrijven. Als na twee uur de wekker ging, stopte ze meteen. Daarna ging ze wandelen, ze bewoog zich doelloos door de stad en ademde de sfeer en de geuren in. Werden haar benen moe, dan ging ze in een café zitten lezen. Af en toe had ze een paar minuten het gevoel dat ze van het leven genoot en dat ze een individueel wezen was dat zonder de symbiose kon leven. Alle andere momenten stond het voor haar vast dat ze net aan een leven had. Tijdens die paar minuten van onafhankelijkheid die, afgezet tegen de voortdurende kwelling die haar gemoedstoestand anders typeerde, euforisch waren, wilde ze hem een sms'je sturen waaruit zou blijken hoe zelfstandig ze was en hoe opgewekt, hoe gelijkwaardig vriendschappelijk hun relatie in feite was en hoe ze alles een plek had kunnen geven en verder was gegaan, nieuwe uitdagende doelen tegemoet. Ze wilde hem laten weten dat ze in een Parijs' café van het leven zat te genieten en een ander alleen nodig had voor de intellectuele stimulans, omdat ze sterk en kenniszoekend en volkomen autonoom was.

Eén keer zwichtte ze voor de verleiding en stuurde ze een berichtje. Ze verbeeldde zich dat de verbondenheid die zij vanbinnen voelde werkelijk, dat wil zeggen wederzijds was. Een antwoord bleef uit, en daarmee waren zelfs de kleine scherfjes onafhankelijkheid verbrijzeld en werd de rest van de week minder. Waarom begreep ze niet dat die helse wroeging over onbeantwoorde berichtjes telkens weer dezelfde en alleen te vermijden was door niets te versturen? Hoop zette haar een hak, verdoofde de herinnering aan schaamte en wroeging en deed haar gokken dat alles ondertussen anders was.

’s Avonds zag ze de in Parijs gestationeerde vriendin. Ze gingen ergens wat eten, maar haar vriendin snapte niet wat liefdesverdriet was. Ze dacht dat er niets aan de hand kon zijn met iemand die down was als ze gedurende de avond een keertje lachte. Wie werkelijk onder het leven gebukt ging, kon niet lachen, dacht haar vriendin, die een reportage over mensen met een zware depressie had gezien, van die mensen die de keuken lieten dichtgroeien en elektrische schokken kregen. Die mensen lachten nooit. Na een teleurstelling moest je de draad proberen op te pakken en niet vergeten hoe goed je het had vergeleken met degenen die echt leden, mensen met kanker, mensen die verlamd waren, die hongersnood kenden en die tot prostitutie gedwongen werden. Haar vriendin had geen zin om andermans last te torsen en wilde dat alles normaal was zodat zij in het gesprek zonder schuldgevoel ruimte kon nemen voor haar beslommeringen en gedachten.

Na een paar avonden hadden ze geen van beiden zin meer om af te spreken, maar ze redden elkaars gezicht door woordeloos, discreet en volkomen eendrachtig te besluiten dat ze ieder voor zich zouden eten.

Parijs hulde zich in stanken en geuren, viezigheid en bladerdeeg, uitlaatgassen en parfum. De dagen volgden elkaar op, de wandelingen, de indrukken, en al die tijd wist Ester dat dit een zinloze reis was. Ze nam de donkergroene, ranke paaltjes tussen trottoir en straat in zich op, de lichtgroene mannen die de straten schoonhielden, dat specifiek Parijse dat ze altijd leuk had gevonden en de straathoeken met hun brasseriën. Het hielp niet om naar Parijs te gaan. Niets hielp zolang je jezelf meenam.

Op de een na laatste avond verliet ze het hotel om een fles wijn te kopen voor bij de kant-en-klaarmaaltijd die ze op haar kamer voor de tv zou opeten. Onderweg naar de winkel werd ze gebeld. Het was halfacht. Ze haalde de telefoon uit haar jaszak en las Hugo's naam op het schermpje. Het stond er overduidelijk: Hugo Rask. Ze maakte haar pas niet af, bleef stokstijf staan en nam op met voor- en achternaam en gedempte stem. Wie alleen een voornaam heeft, zit wispelturig op de wereld te wachten, dacht ze. Voor- én achternaam daarentegen gaf gewicht, dat was soevereiniteit en zelfrespect. Voor- én achternaam zat niet apathisch naast de telefoon te wachten, maar was lekker bezig, volop aan het werk. Alleen achternaam was nog beter geweest, maar in deze context gezocht afstandelijk en grenzend aan een grap. Daar had hij doorheen gekeken.

Ze liet de telefoon een paar keer overgaan voordat ze opnam, zei rustig en maatvast haar voor- én achternaam en wachtte vervolgens op zijn stem. Ze hoorde haar hartslag in haar gehoorgang, maar niemand aan de andere kant van de lijn. Er klonk een geroezemoes van stemmen en ze haalde die van hem eruit, maar geen van de stemmen sprak haar aan. Ze keuvelden als tijdens een werkpauze. Er lachte iemand en iemand zette een wijnglas neer op een glad oppervlak, een leeggedronken glas op de bar van zijn atelier zo te horen. Was het het glas van Eva-Stina, van wie hij de naam zo moeilijk kon onthouden?

Ester riep hallo. Na vijf hallo's bleef ze stil. Dat was ongeveer het moment, merkte ze, dat het wanhopig begon te lijken. Dat haar wanhoop reëel was, maakte haar extra gevoelig voor de manieren waarop wanhoop zich uit.

Het geroezemoes hield aan. Inkomende gesprekken vanuit Zweden waren niet gratis, nog even en ze moest ophangen.

'Hallo,' riep ze een laatste keer. 'Hallo.'

Op het moment dat zijn naam op het scherm verscheen, keerde alle hoop terug en ze kreeg hem niet van zich afgeschud. Het kon niet zo zijn, redeneerde ze, dat gevoelens voor een ander van de ene op de andere dag verdwenen, en hij moest iets gevoeld hebben, want anders had hij nooit zo veel tijd in hun afspraakjes gestoken. Daarin lag zo'n onmiskenbare logica dat de hoop zó gemobiliseerd was. De hele nacht lag ze met alle vezels van haar lijf te hopen en ze sliep amper.

De volgende dag was haar laatste dag in Parijs. Ze schreef en maakte een wandeling volgens schema, maar zonder geuren te ruiken en zonder de stad te zien. Ze werd verteerd door het kwellende niet-weten of hij de voorgaande avond contact had gezocht en daar vervolgens niet voor had durven uitkomen of wat er anders aan de hand was. Haalde hij een grap met haar uit? Wilde hij haar aan het lijden hebben? Waarom dan?

's Avonds hield ze het niet meer uit en belde hem op. Het gewicht dat wekenlang haar longen had samengeperst, verdween op het moment dat hij opnam. En hij koos ervoor op te nemen hoewel hij zag dat zij het was. Zijn stem klonk afwachtend maar werd toen ze zei dat ze vanuit Frankrijk belde even zacht, hartelijk en omarmend als tijdens hun eerste drie maanden. Frankrijk was ver weg, net zo veraf als de vreemden die hij altijd hartelijk bejegende, en hij hoefde zich niet te verdedigen.

'Je hebt me gisteravond gebeld,' zei ze bang en vol aandacht.

'Heb ik gebeld?' vroeg hij vriendelijk.

'Gisteravond.'

'Wat gek.'

'Ik was op weg naar de winkel om wijn te kopen voor bij het avondeten. Ik liep midden in Parijs op de stoep toen je belde. Ik heb een hotel bij het Gare du Nord. Het zal ongeveer halfacht geweest zijn. Maar het was misschien per ongeluk?'

'Hij moet je vanuit mijn broekzak vanzelf gebeld hebben.'

'Toen ik opnam was er niemand aan de lijn.'

Ze lachten allebei onbeholpen.

'Dus je bent in Frankrijk.'

Dat weet je al een paar dagen, dacht ze. Ik heb je afgelopen woensdag een sms'je gestuurd waarop je niet hebt gereageerd.

'Dus hij heeft me vanuit je broekzak vanzelf gebeld?' vroeg ze.

'Hij zit altijd in mijn broekzak. Ik zal ergens tegenaan hebben geleund en toen op een knopje hebben gedrukt.'

'Tegen de bar in je keuken.'

'Vast. Ja, wie weet.'

'Dat kun je zo hebben met die moderne dingen,' zei ze.

'Ja, inderdaad,' zei hij.

'Maar is het niet mysterieus dat hij juist mij opbelde? Net een soort teken.'

Nu had zijn lachen iets benards. Zoals zo vaak. Hij geneerde zich voor zijn eigen lachen omdat lachen intiem was, dacht Ester.

‘Misschien mist je telefoon mij en de geweldige gesprekken tussen ons die hij heeft afgeluisterd,’ zei ze.

Hoongelach was niet intiem, dacht ze verder, maar ook geen echt lachen. Het kopieerde de geluiden en spierbewegingen van gelach en parasiteerde op het echte lachen.

De grote flarden stilte in het gesprek gaven haar gedachten de tijd om allerlei kanten op te stuiteren.

‘Weet je nog hoe heerlijk het allemaal was. Toen we maar bleven doorpraten.’

‘Heb je het goed in Frankrijk?’ vroeg hij.

‘Prima. Hartstikke goed. Interessant.’

‘Frankrijk is mooi,’ zei hij. ‘Het vaderland van de kaas en de wijn. En van het ware intellectualisme.’

‘Parijs is en blijft Parijs,’ zei ze en voelde hoe die repliek in al zijn versletenheid emblematisch was voor hun schipbreuk.

‘Nou en of.’

‘Ik heb lekker door de straten gelopen en de sfeer opgesnoven. Die vind je nergens anders.’

‘Wat goed.’

‘Het is hier lente. In de hoofdstad van de liefde.’

‘Dat kan ik me voorstellen. Het is ook al maart. Wat gaat de tijd snel.’

‘Ja. Of langzaam. Maar weet je, verder was er eigenlijk niets. Ik wilde alleen even weten of of er een speciale reden was dat je me gisteren belde.’

‘Wat ik al zei. Nee. Het zal per ongeluk zijn gegaan.’

‘Jammer.’

Ze beschouwde het gesprek als afgerond en had de telefoon al niet meer aan haar oor toen ze zijn stem weer hoorde: ‘Dan bellen we nog wel als je terug bent.’

Ze bracht de telefoon terug naar haar oor.
'Wat zei je?'
'We bellen wel als je terug bent.'
'Ja? Ja! Zullen we? Graag.'
'Doen we,' zei hij. 'Veel plezier nog.'

Na die paar woordjes van onachtzaamheid liep ze zwevend de Parijse avond in, vond alle geuren lekker en koesterde sympathie voor iedereen die ze zag. Ze was nog net voor sluitingstijd bij Shakespeare & Company, kocht er een paar boeken, een van Hannah Arendt en een van Derek Parfit, en nam het besluit om harder te werken, om de discipline, het lezen en haar inspanningen om de samenhang van de wereld te begrijpen weer op te pakken.

Terwijl ze afrekende maakte ze in pover Frans een praatje met de boekverkoper en niets zou haar ooit nog ergeren.

~

Haar vliegtuig landde de volgende dag tegen tweeën. Binnen een uur was ze thuis in haar appartementje op Kungsholmen. Even zou ze toch moeten wachten voordat ze van zich liet horen, dacht ze. Het was zondag, de dag waarop ze haar duurtraining deed. Een reisdag als vandaag beschouwde ze normaliter als verloren voor noemenswaardige activiteit, maar vandaag was anders, vandaag was het begin van het nieuwe. De biochemische processen waaruit haar lichaam bestond kenden geen belemmeringen of hindernissen vandaag, niets wat ze belastte, niets wat ze afremde. Zonder enige weerstand begon ze aan haar lange zondagse training, al was het dan al middag. Gewoonlijk liep ze ofwel 's ochtends ofwel helemaal niet, er later op de dag nog aan te beginnen voelde vaak te zwaar. Ze liep inmiddels achttien kilometer; de bedoeling was om begin mei op haar maximale trainingsafstand te zitten die, besloot ze, meer zou zijn dan de twintig kilometer die ze tot nu toe van plan was geweest: minstens tweeëntwintig. Vandaag hoefde ze voor geen pas te zwoegen. Terwijl ze langs het water van de stad rende, zag ze steeds voor zich hoe ze elkaar vanavond, of misschien morgen, zouden zien. Ze zouden elkaar wel bellen als ze terug was. Nu was ze terug. Sinds de catastrofe had hij zoiets niet meer voorgesteld. En natuurlijk had zijn telefoon haar niet 'per ongeluk' gebeld. Dat was te onwaarschijnlijk. Nee, hij verlangde ook naar haar.

Na de training nam ze een schuimbad. Haar lichaam was aangenaam moe, vooral de pezen. Ze voelde voldoening en innerlijke standvastigheid. Zodra ze uit bad was en zich had aangekleed zou ze hem bellen, maar niet te vroeg, want ze had het nodige te doen en een leven bovendien.

Ze nam daarom de tijd, droogde zich af en ging dampend op bed liggen om uit te zweten. Streek een blouse en trok een schone, stijve spijkerbroek aan, nooit eerder gedragen kousen en een trui met een V-hals die kleurde bij het ruitje van haar blouse.

Haar hand trilde niet toen ze de telefoon pakte, waarom zou hij? Ze zouden elkaar bellen als ze terug was uit Parijs, dat was een aansporing, en nu was ze terug, daarom belde ze.

'We bellen wel als je terug bent' is veel te makkelijk gezegd als er een half continent tussen ligt. Veel te makkelijk. De inhoud en betekenis van taal is te groot vergeleken met het gemak waarmee je de dingen zegt. Nee. Verkeerd spoor. Zoals iedereen die verliefd is, hechtte Ester Nilsson te veel gewicht aan de inhoud van de taal en de letterlijke betekenis van woorden en te weinig aan gerijmdheden en het totale plaatje. Het behoorde bij haar vak om dingen met elkaar te rijmen en het totaal te overzien, en ze verstond haar vak, maar als ze werkte stond haar gevoelsleven erbuiten.

Wat hij had gezegd, 'we bellen wel als je terug bent', was weliswaar geen zin met een grote inhoud. Het was een gebruikelijke beleefdheidsfrase, gericht tot iemand op reis. Het kon betekenen dat twee mensen elkaar over een week of over twee maanden zouden bellen. De frase was niet de uitdrukking van haar inhoud, maar van een onderlinge erkenning: wij kennen elkaar, wij hebben niets bij te leggen, we spreken elkaar niet voor het laatst. Maar zei je het tegen iemand die radeloos was van verlangen, dan werd het wreed, een slappe combinatie van lafheid en schuld, zorgzaamheid zonder dekking.

In haar verhitte toestand slaagde Ester er niet in te zien dat uitspraken als asdeeltjes zo licht konden zijn, en net zo verkoold. Ze werden lichtzinnig rondgestrooid, vielen, dwarrelden. Woorden waren geen zware monumenten van voornemens en waarheden. Het waren geluiden om stiltes mee op te vullen.

Geluk zit zelden in de beleving van geluk. Het huist in de verwachting ervan en vrijwel uitsluitend daar. Sinds gisteravond was ze gelukkig.

Toen de telefoon naar haar idee een keer of acht was overgegaan, nam hij op met een afgewend hallo.

'Hoi!' zei ze. 'Ik ben het.'

Zijn hoi was afgemeten, haar stem kreeg meteen iets geforceerds omdat haar keel dichtkneep en haar vaten zich vernauwden.

'Hoe gaat het?' perste ze eruit.

'O, goed?'

Ze hoorde het vraagteken, de gruwelijke kilte ervan. Ze bevroedde een put van minachting. Hij had het net zo goed ronduit kunnen zeggen: 'Waarom bel je alweer, je stoort me, we hebben elkaar gisteren toch gesproken, wat wil je van me?'

'Ik zit wat te werken,' zei hij, milder omdat hij doorhad hoe ze verstarde en vervlakte.

‘Wat goed. Dat je werkt. Ik heb in het vliegtuig gewerkt. Verder heb ik vandaag niet veel gedaan. Het is zondag, niet dat dat wat uitmaakt, maar de redenatie kan van pas komen als je wilt uitrusten.’

Alleen om niet te benadrukken hoe belachelijk ze zich voelde, hing ze niet meteen weer op. Ze zei: ‘Gaat het goed?’

‘Wat?’

‘Je werk.’

‘Net als anders. We hebben veel te doen. We zijn hier nog wel even bezig vandaag. Het hele team is aanwezig. Het zal laat worden vanavond.’

De pasgestreken blouse was klam op haar rug en onder haar oksels. Verneder me niet, dacht ze, ik hoor tussen de regels door, ik zal me niet komen opdringen.

‘Bel je met een speciale reden?’ zei hij.

‘Nee. Niets bijzonders.’

Hij lachte zijn benardheidslachje.

‘Ik ben weer terug,’ zei ze.

‘Aha. Oké.’

‘Ik zou bellen als ik terug was.’

‘Je was in Parijs, ja.’

‘Ja. Ik was in Parijs.’

Er viel een korte, maar duidelijk waarneembare stilte.

‘Was het leuk? Interessant?’

‘Nee. Want ik had mijn hoofd en mijn lijf meegenomen.’

De opdoemende intimiteit ontlokte hem een kort gehum, hij wilde afronden. Ze hoorde precies wat ze horen moest om eens en voor al te begrijpen dat ze haar eigen weg moest gaan en deze man uit haar hoofd moest zetten. Ze kreeg die kennis alleen haar autonome besef niet in. Het bleef hangen op een oppervlakkiger niveau waar de uitvluchten zich in leven houden met wat ze maar te pakken krijgen. In de eeuwige strijd tussen besef en hoop won die laatste, omdat het te veel moeite kostte om het besef in te lijven en leven eenvoudiger was met hoop.

'Ik had willen vragen of we een hapje konden gaan eten,' zei ze mat.

'Vanavond! Nee, dat kan niet!'

Het waren uitroeptekens van afschuw.

'Dat bedoelde ik ook niet.'

'Dat kan echt niet!'

De schaamte bonsde in een strak ritme.

'Gisteren zei je dat we zouden bellen als ik terug was. Daarom belde ik. Alleen maar daarom. Anders had ik natuurlijk niet van me laten horen.'

'Geen probleem. Ik moet weer aan het werk. Het beste, hè.'

❧

Er gingen twee maanden voorbij. Het was lente, de tijd dat alles een waas van viezigheid droeg en het zwerfafval tevoorschijn kroop. De vlijmende stralen van de zon hielden niets verborgen. Rouw blijft niet eindeloos acuut. Hij wordt al snel overgeplaatst naar de dagopvang, daarna naar de rehabilitatie. Ester verdoofde zich met gezelschap en mensen die ze niet zou hebben gezien als ze in balans was geweest in plaats van halfdood. Ze deed van alles om maar niet alleen te hoeven zijn, vroeg kennissen en vrienden te blijven logeren opdat ze niet hoefde te voelen hoe de donkere nacht zijn intrek in haar nam.

Stoïcijns was ze niet, wel aan flarden, gerafeld. Op een avond zwichtte ze voor de verleiding Per te bellen, de man met wie ze had samengeleefd en die ze een half jaar eerder halsoverkop had verlaten. Ze wist niet waarom ze belde, haar vingers waren sneller dan haar bewustzijn. Per zei dat hij nog steeds van haar hield, dat hij haar verschrikkelijk miste, dat alles grijs en grauw was sinds ze weg was. Ester was erdoor geroerd en aangedaan, ze zei dat ze dankbaar was voor hun jaren samen. Toen vroeg Per waarom ze belde, met iets veelbetekenends en scherps in zijn toon. Hij wist net zo goed als zij dat handelingen als deze niet toevallig waren, maar met innerlijke bewegingen correspondeerden. Ester zei dat ze alleen wat had willen praten. De volgende dag belde Per twee keer op met de voorzichtige vraag of ze het niet weer zouden proberen. Op dag drie vroeg hij met schelle stem waarom ze het recht dacht te hebben het minieme evenwicht te verstoren dat hij na maanden van leed en wanhoop had weten te creëren. Ester kon moeilijk geloven dat ze zo belangrijk voor Per was, zo had het door de jaren heen niet geleken, vond ze, en geloofde hem daarom niet echt. Bovendien werd ze te veel in beslag genomen door haar eigen leed, haar eigen wanhoop. Zijn ellende maakte weinig indruk. Die kwam onwerkelijk op haar over.

Het koor vriendinnen werkte flink door. Het interpreteerde, troostte, verzachtte, vermaande en wees nieuwe richtingen. Ze moest zich bevrijden, zei het koor en zij zei het na: 'Ik moet me bevrijden uit deze idiotie.'

Op een dag, zei het koor, staat Hugo misschien wel met een bos bloemen voor de deur, je weet maar nooit. Maar ze moest wachten tot hij zover was en zich ondertussen openstellen voor het leven.

Dat had het koor vriendinnen niet moeten zeggen, want meteen voelde ze hoe de hoop dat dat gebeuren zou haar bij de kladden pakte en het enige werd dat haar iets kon schelen.

'Denk je dat echt?' vroeg ze hijgend. 'Denk je echt dat hij op een dag voor de deur zou kunnen staat en zich bedacht heeft?'

'Niets is onmogelijk, maar ga er niet aan denken,' zei het koor.

Dat advies was onmogelijk en aan dovemansoren gericht. Was er een kans, hoe gering ook, dan zou Ester tot het aanbreken van die dag aan niets anders denken en in een terzijde leven.

Dat wat voor haar levensbepalend was geweest, was voor Hugo tijdverdrijf geweest. Nu en dan stond ze kort bij die gedachte stil. Daarna verwierp ze haar, om het uit te houden. In april schreef ze twee lange brieven die ze op de post deed. Ze wilde het hem uitleggen, wilde begrijpen. Ze wilde onder woorden brengen wat ze had gevoeld en waarom ze gedaan en gedacht had zoals het geval was, wilde zeggen dat zijn optreden het hare gevormd had, dat niemand ageert zonder tegelijkertijd te reageren; dat hij haar goede redenen voor haar aannames gegeven had.

Ze verwachtte geen antwoord en kreeg dat ook niet.

Er waren dagen dat het leven draaglijk was en het pijnpunt kromp tot een speldenknop.

Ze las een pas verschenen boek over de Holocaust, ze schreef gedichten over haar misère, die overduidelijk slecht waren maar die ze desondanks bewaarde. Ze deed haar vijf looptrainingen per week. De lente schreed voort. Ze had sinds Nieuwjaar een flink aantal kilometers in de benen.

Eind mei zat ze in een café aan het Östermalmsplein. Dat het dicht bij de Kommendörsgatan lag was niet waarom ze er beland was, sprak ze zichzelf in. Natuurlijk was het dat wel, besefte ze. Nog altijd oefende zijn buurt zo nu en dan zwaartekracht op haar uit.

Het hemelvaartsweekend stond voor de deur. Het was warm en stil in de stad. Ze zat met een kop koffie te lezen, kon zich weer in teksten verliezen, vooral wanneer ze niet in alle eenzaamheid thuis was maar onder de mensen zoals nu, met geroezemoes en leven om zich heen. Ze was verdiept in haar boek, maar aanwezig genoeg om buiten vanuit haar ooghoek een jack te zien dat ze herkende, een groen, afgedragen outdoorjack. Er was ook iets met de manier waarop het lijf bewoog, zowel lichaam als stijl had iets zakkigs. Ze moest ophouden hem overal te zien, dacht ze. Hugo Rask ging nooit naar een café. Toch stapte hij nu binnen, liep op haar tafeltje af, stak ter begroeting zijn hand op en glimlachte onzeker.

Ester legde het boek open op tafel met het omslag naar boven, het was *De dame met het hondje* van Tsjechov. Ooit had hij gezegd dat ze dat zou moeten lezen. Ze herinnerde zich het moment waarop ze het hem had horen zeggen, hoe hun onderlinge genegenheid juist toen tijdens dat afspraakje aanvoelde, hoe ze op het ogenblik dat hij de titel noemde naar buiten had gekeken, naar de sneeuwduinen en de geparkeerde auto's. Sommige beelden vroren onverklaarbaar vast. Het was een half jaar geleden.

Nu keek ze uit over het betegelde plein, en was er licht en sappig groen, het beetje dat aangeplant was en dat wat zich door barsten en gaten naar buiten drong, zon en groei tegemoet. Alles was nog fris, niets bedaagd.

Hugo vroeg hoe het met haar ging, voorzichtig alsof hij bevroedde dat het antwoord met hem te maken kon hebben, maar kennelijk wilde hij het toch vragen. Ze antwoordde dat ze in de laatste fase van haar marathontraining zat. Net zoals hij die afschuwelijke keer in februari haar hardlopen gebruikt had, gebruikte zij het nu tegen hem.

Hij zocht meer intimiteit, wilde aan het gekeuvel voorbij. Hij ging zitten, deed zijn jack uit, vroeg hoe je in die laatste fase trainde. Ze geloofde niet dat hij geïnteresseerd was, maar antwoordde uit beleefdheid dat ze vijf keer in de week ging lopen, met een rustige duurloop van twee uur en daarnaast trainingsrondes met wisselende intensiteit. Afwisseling, daar ging het om, en die ochtend had ze een intervaltraining gedaan van in totaal veertig minuten.

Hij vroeg waarom ze de marathon wilde lopen. De gretigheid waarmee hij naar details informeerde voelde compensatoir; hij vond dat hij zijn best moest doen, actief moest zijn. Ester stond perplex. Hun verhouding was immers allang op de klippen, hij leek achter de feiten aan te lopen.

Was dit echter niet wat het koor vriendinnen gezegd had, dat hij wie weet op een dag over drie maanden of over drie jaar met een bos bloemen voor de deur zou staan en eruit was. De hoop maakte een klein lichtzinnig sprongetje vanbinnen.

Ze antwoordde dat ze de marathon wilde lopen omdat het interessant was. Het was de enige manier om erachter te komen of te onderzoeken wat er eerst na dertig en dan na vijfendertig kilometer met je lichaam en je hoofd gebeurt. Het was een soort studie.

Hugo zei dat het als studie beschouwd tamelijk vermoeiend klonk. Wat het opleverde leek hem duur betaald en verwaarloosbaar.

'Dat vind ik dus duidelijk niet,' zei ze. 'Anders zou ik het niet doen.'

Zijn koffie werd gebracht. Hij bedankte met een hoofdknikje.

'Eigenlijk ging ik hier helemaal niet heen. Maar ik zag je zitten en toen liep ik naar binnen.'

Ze stopte Tsjechov in haar tas.

'Is het net zo goed als ik me herinner?' vroeg hij.

'Heel goed. Geweldig, zelfs.'

'Bedankt voor je brieven,' zei hij. 'Ze waren heel mooi.'

'Vind je?'

'Ja, de ene was ronduit prachtig.'

In de andere had tussen de liefdesverklaringen een aantal in vragen verpakte verwijten gestaan.

'Ik ben vergeten wat ik geschreven heb,' zei ze. 'Het is lang geleden.'

'Het spijt me dat ik er niet op gereageerd heb.'

'Echt?'

'Ik had moeten reageren. Maar wat een werk, de hele lente. En nog steeds.'

Ze had een idee van de moeite die die woorden hem kostten. En ze begreep dat hij schuldenvrij verklaard wilde worden nu hij een handreiking had gedaan, dat hij vond dat het aan haar was om hem die status te verlenen. Ze dacht niet dat ze ooit iemand gekend had die schuld had erkend en hem ook had weten te dragen.

Er liepen goedgeklede mensen over het plein, met weekendse verwennerijen in tasjes van de markthallen.

Ester zwakte de pijn die zijn gedrag en zijn uitgebleven antwoorden veroorzaakt hadden niet af om zo zijn last te verlichten. Ze hield voet bij stuk toen de reflex om het hem te vergemakkelijken zich aandiende. Dus nu ze hem niet de lucht gaf die hij zocht, zou binnen afzienbare tijd een verwijt of sneer volgen.

En inderdaad. Hij zei: 'Je wist dat ik een ander had.'

'Nee. Dat wist ik niet. Je hebt het nooit over haar gehad en toen ik ernaar vroeg ontkende je haar. Dat ik erachter kwam, was bepaald niet jouw verdienste. En ik dacht natuurlijk dat je bij haar weg was toen je naar mij toe kwam. Dat je daarom toen pas kwam en niet eerder. Ik dacht dat je wachtte zodat je eerst schoon schip kon maken. Ik dacht dat dat de normale gang van zaken was, als je geen bigamist bent. Wat je natuurlijk best kunt zijn, maar daar moet je dan wel duidelijk over zijn. Vooralsnog is één tegelijk toch een soort onuitgesproken grondregel.'

'Maar dan moet je het uitmaken!'

'Ja?'

'Dat is een verschrikkelijk gedoe.'

Hij klonk oprecht confuus.

'Deze variant was ook niet echt gemakkelijk, voor mij.'

'Dat je overal over moet praten en eerlijk en transparant moet zijn, dat is ook maar een conventie,' zei hij. 'Een totalitair, verstikkend juk, een onvrijheid die we elkaar aanpraten. Eisen dat iemand met wie je lichamelijk contact hebt gehad vanaf dat moment alles loslaat is tirannie. Begeren dat hij na dat lichamelijke contact nooit meer iets voor zichzelf houdt, is niet alleen kleinburgerlijk, het duidt op een totale afwezigheid van respect voor de individuele vrijheid, die jij zo hoog pleegt te hebben.'

Ester kon niet slikken of knipperen zonder dat het pijn deed.

'Daar kan ik niets tegen inbrengen,' zei ze. 'Ik zou het willen, maar helaas.'

'Dat moet voor het eerst zijn.'

Hij lachte. Zij niet.

'Ik kan er niets anders tegen inbrengen dan dat de vrijheid van de een soms het lijden van de ander is.'

Het was een zachte namiddag zoals alleen mei die kent. De wind streelde de parasols en bracht de stof in slome beweging. Hij was warm, nog net niet heet, en toch ook fris toen hij door het open raam naar binnen kwam. Het weer was aangenaam genoeg om buiten te zitten, maar als ze las of at zat Ester liever binnen.

'Wie is ze?'

'Wie bedoel je?'

'Die vrouw die je met de regelmaat van de klok ziet, maar verborgen houdt en verzwijgt.'

'We kennen elkaar al tientallen jaren.'

'Wat doet ze?'

'Docent. Geschiedenis en maatschappijleer.'

'Middelbare school?'

'Ja. Bovenbouw.'

'Ze woont ver weg.'

'Het is lekker om ertussenuit te gaan.'

'Je voor alles en iedereen te verstoppen. Er een geheim leven op na te houden zodat je iedereen innerlijk op afstand houdt, zelfs haar. Wie er anderen op na houdt, hoeft nooit het gevaar te lopen iemand echt nabij te komen. Nooit andermans gelijke te worden, zich bloot te geven, kan het zo spelen dat hij nooit de zwakste hoeft te zijn maar altijd nog bij een ander terechtkan. Een existentiële indekking, als het ware.'

'Ik zit graag in de trein.'

'Wie met kleine leugentjes begint, liegt voor hij het weet over alles, over zijn hele leven. En leeft noodgedwongen achter een scherm.'

'Ik lieg niet. Iets achterhouden is geen liegen.'

'Zou je je hele leven niet met haar willen delen?'

'Dat is wat zij wil. Dat ik daar kom wonen.'

'Maar jij niet.'

'Als ik tachtig ben, misschien.'

'Weet ze dat er anderen zijn?'

'Dat zal ze wel beseffen.'

'Dat denk ik niet als jullie het er niet over gehad hebben. Dat doe je niet. Zoiets kun je niet beseffen. Je zou het haar moeten vertellen.'

'Waarom moet je anderen pijn doen?'

Hij wreef zich over wangen en kin, het klonk raspend.

'Hoe redeneerde je toen je me van de winter van de een op de andere dag liet vallen?'

'Jij hebt een heel leven voor je,' zei Hugo. 'Ik niet.'

Hun leeftijdsverschil, dat was in elk geval een argument, het enige nog wel waaraan ze niet eens iets zou kúnnen veranderen. Hij had voor het eerst een verklaring gegeven die grondde in een overweging.

Ze voorvoelde gedurende een minieme tijdspanne dat er een dag zou komen dat ze genoeg had van deze hele geschiedenis en haar schouders over de uitkomst ophaalde. Ze zag met welke verbazing ze zou terugkijken op haar strijd en het feit dat hij die waard was geweest. Die dag zou ze zich gelukkig prijzen dat ze aan zijn gezelschap ontkomen was. Het was een vluchtige gedachte, een van de vele. Ze vond hem sneu zoals hij in elkaar gezakt op zijn stoel zat en zijn miezerigheid bekende, zijn trieste leven en de angst die hij tot vrijzinnigheid probeerde te verheffen.

Twee vrouwen kwamen aan het tafeltje naast hen zitten. De ene vertelde iets, de ander moest hardop lachen, werd stil toen het verhaal verder ging en moest daarna weer hardop lachen. De vertelster leek de vrolijkheid te waarderen, maar zich te generen voor de schelheid ervan, probeerde het te temperen door zelf gedempt te gaan praten.

Ester en Hugo keken naar de vrouwen.

'Zo lach jij nooit als ik wat vertel,' zei hij.

Hij streelde Ester over haar arm, ze voelde haar hart kloppen.

'Er was geen reden toe,' zei ze.

'Want onze relatie is serieuzer van aard, ja.'

Hij keek haar met heldere ogen aan, zonder bijbedoelingen. Iemand van de bediening nam een tafeltje af, een ander zette een espresso neer voor een vrouw in pak, die de *Financial Times* opensloeg.

'Wij hebben toch geen relatie?' zei Ester.

'Maar we zijn serieus. Als we een relatie hadden, dan zou dat een serieuze relatie zijn. En we hebben toch heel wat afgelachen.'

'We hebben inderdaad wat afgelachen.'

Wie een ander liefheeft heeft slechts één wapen: het liefhebben staken. Hoe klef en verstikkend de ontvanger de liefde ook heeft ervaren, haar verliezen schrijnt, ook als ze nooit gewenst was. Het is het machtsevenwicht dat aan het schuiven wordt gebracht door de nieuwe onverschilligheid, een angst om als belachelijk en gewoontjes gezien te worden door degene die jou voorheen liefhad.

'Weet je nog dat je van de winter bij mij thuis was?' vroeg ze.

'Natuurlijk weet ik dat nog.'

'Heb je onthouden wat we aten?'

'Je had kip gemaakt. In een romige saus.'

'Crème fraîche met witte wijn en gruyère.'

'Veel planten zaten daar niet in.'

Hij bromde voldaan. Ze merkte hoe hij haar bewust naar zich toe haalde met die uitgekiende kleine referenties aan hun gemeenschappelijke verleden en werd blij.

'Het gerecht had iets roods.'

'Er zat paprikapoeder door,' zei ze. 'Interessant, je herinnert met je ogen. Beeldend kunstenaar in hart en nieren. Ik herinner met mijn oren, met mijn ogen alleen als ze tekst zien. En ik herinner met sommige andere lichaamsdelen.'

Zijn jack, dat veel te warm was voor de tijd van het jaar, ging weer aan, want ze maakten aanstalten om te gaan. Dat hij zijn jas had uitgedaan, maakte deel uit van zijn inspanning om alle eerder niet uitgetrokken jassen te compenseren, dacht ze.

'Ik herinner ook met meer dan mijn ogen alleen,' zei hij.

Niet doen, dacht Ester. Trek me hier niet nog een keer in mee. Ik ben me juist aan het losmaken.

Maar ze vond het geweldig hoe zijn ogen schitterden toen hij het over de herinneringen aan hun afspraakjes had en ze had het gevoel hem heel nabij te zijn.

'Dat rode kwam van de paprikapoeder,' herhaalde ze.

'Het was lekker. Had ik niet een stoel meegenomen? Heb je die nog?'

'Ik zit er dagelijks op.'

'Dan heb ik in elk geval íéts kunnen bijdragen, dat is mooi.'

'Ik heb nooit begrepen waarom je na maanden van omwegen drie keer met me naar bed bent geweest om vervolgens zomaar te verdwijnen. Ik heb nooit begrepen hoe je dat hebt kunnen doen en waarom je nooit met me wilde praten als ik daarom vroeg.'

Hij keek weg. Met zijn ogen volgde hij een broos paar dat heel langzaam liep en steun zocht bij elkaar.

'Het proberen uit te leggen heeft geen zin. Je weet alle antwoorden toch al en hebt je tegenwerpingen paraat.'

'Wat jammer dat je dat zo ziet. Ik ben erg benieuwd hoe jij erover denkt en zou werkelijk graag jouw versie willen horen. Maar mogelijk interpreteer ik de gebeurtenissen anders dan jij. En dat wil je misschien niet horen?'

Ze stonden op het Östermalmsplein, bij de keerstrook op de hoek van de Humlegårdsgatan en de Nybrogatan. Ze stak hem haar hand toe als om de zijne te schudden. Ze hadden elkaar sinds die eerste keer in oktober geen hand meer gegeven. Hij nam hem aan, aarzelend omdat er in het gebaar iets afstandelijks en ook afsluitends besloten lag.

Zijn ogen zochten die van haar en hij zei: 'Ik zal er echt eens over nadenken, Ester. Hoe dat nou zit met ons.'

Ze hoorde het hem zeggen. Ze hoorde het niet verkeerd. Ze wilde hem vragen het te herhalen, wilde dat ze het had opgenomen, maar het was geen verbeelding. Ze had het goed gehoord.

'Wat zei je?'

Hij keek hoe laat het was. Ze moesten elk een kant op. Hij zou terug naar zijn leven en zij naar haar on-leven. Omdat het een lang weekend was, vermoedde ze dat hij naar die vrouw zou gaan.

'Ik moet langs de slijter,' zei hij. 'Loop nog even mee.'

Ze dacht: dit is het moment dat je 'nee' zegt en met trots opgeheven hoofd de andere kant op loopt.

Ze dacht: dit is het moment dat je moet gaan en niet meer omkijkt.

Ze liep mee naar de slijter. Het was er druk. Terwijl ze op zijn beurt wachtten, vroeg ze wat hij zou gaan doen dit vier dagen durende weekend.

Hij zei dat hij naar Borås ging.

Het kon onnozelheid zijn of een pure reflex dat hij weer op die toer ging terwijl hij net over die vrouw in Malmö had verteld, maar Ester dacht: hij zegt me dat ik niet hoef te denken dat die relatie zo belangrijk is, dat er een kans is, dat ik moet wachten en geduld moet hebben.

Dat je kunt liegen uit respect, verkeerd ingeschat maar humanitair, en dat je uit angst voor andermans pijn en verstikkende afhankelijkheid allerlei dingen kunt zeggen die je niet meent, om aardig te zijn, om de getergde ander te behoeden voor het wrede besef van hoe jij haar ziet en voor de vanzelfsprekendheid waarmee je de ander niet bij je wilt hebben zoals zijzelf zou willen, dat dacht ze niet. En dat hij zei wat hij zei omdat het ongemakkelijk is om iets over je bedoelingen en handelswijze te zeggen tegen mensen die overal uitgesproken of onuitgesproken morele oordelen over vellen, gegrond op gevoelens en gerechtvaardigd door die aandringende zwakheid, maar die vervolgens een kanonnade van redeneringen presenteren, dat dacht ze ook niet.

'En ik ga naar Leksand,' voegde hij eraan toe, en zo te horen was hij opgelucht dat te kunnen zeggen.

Tikkend versprongen de nummertjes. Ze vroeg zich af welke opmerkingen ze nu beter achterwege kon laten. Toen ze pas met elkaar omgingen had hij ook zo gesproken, Leksand, Borås, alsof het reizen op zich zou imponeren, blijk gaf van onafhankelijkheid en spanning, en alsof hij met die plaatsen het ontbreken van pijnlijke banden aantoonde, door te laten weten hoe vrij hij in zijn eentje op reis ging. Hij was net een kind dat met 'Leksand, Borås' in plaats van 'Malmö, banale relatie' dacht te zeggen: 'Ik heb niets gedaan! Ik ben onschuldig!'

'Hoe kom je in zo'n korte tijd van Leksand naar Borås als je in beide plaatsen ook nog even wilt blijven?'

'Met de trein.'

Het huis in Leksand was het zinnebeeld voor zijn autonomie. Daar had hij zich teruggetrokken als hij zichzelf moest hervinden, daar zat hij niet vast aan een vrouw. Hij wist dat zij dat wist. Daar lag zijn droom om zich te redden zonder de macht die vrouwen over hem hadden. Hij was al eerder met Leksand op de proppen gekomen om aan te tonen hoe vrij en ongebonden hij was. Waarom deed hij dat? Misschien omdat hij door haar zijn eigen situatie bekeek met haar strenge blik en zich belachelijk voelde. Had ze dat ingezien, dan had ze het terecht gevonden, want ze was verongelijkt en daarmee was haar kijk de juiste.

Ze vergat dat zelfs al was haar kijk de redelijkste, dan nog werd hij anders opgevat, te weten als niets dan een blijk van rigide onberispelijkheid. Die schaamte oproept, die leugens voortbrengt. Mensen liegen om vrij te zijn. Mensen liegen omdat ze niet met rust worden gelaten als ze rechtuit spreken. Mensen liegen omdat anderen het recht nemen hen uit naam van de waarheid aan te spreken. De leugen als vlucht voor de onberispelijkheid is een daad van verzet tegen een rechtschapenheid met totalitaire pretenties. Ester Nilsson zou dat zeker hebben gezien als ze zelf maar niet midden in het verhaal had gezeten. Doordat de hele geschiedenis zo met pijn en teleurstelling vervlochten was, kon het niet anders dan dat sommige constateringen in de schaduw van haar observaties lagen.

Voor sommigen wordt het liegen bovendien een verslaving, met alle componenten van een verslaving van dien. Kreeg hij de kans, dan kon Hugo Rask het niet laten om te zeggen hoe het niet was, hij deed alles om te ontkomen aan de waslijsten rechten en de hervormingsprogramma's van mensen die liefhadden, alles om zich te kunnen verstoppen voor de ogen van de buitenwereld, de ogen waardoor hij gezien wilde worden maar die hij tegelijkertijd niet verdragen kon.

Wellicht kon van Ester ook niet verlangd worden dat ze onder deze omstandigheden zou beseffen dat hij niet uit wankelmoedigheid gezegd had wat hij zei, maar dat gedaan had om haar niet het idee te geven dat hij betreurenswaardig was. Wat Ester hoorde, was niets anders dan dat hij haar zojuist het onvoorstelbare had gezegd, dat hij over hun relatie zou nadenken, dat hij misschien bij haar wilde zijn, dat hun leeftijdsverschil de enige belemmering was geweest. Met andere woorden: dat er met hun relatie of met haar niets mis was geweest.

Ze stond met Hugo in de slijterij aan de Nybrogatan en hoopte dat zijn nummertje nooit tevoorschijn zou springen. Ze had daar haar verdere leven willen blijven staan en nu hoorde ze hem iets zeggen dat nog onvoorstelbaarder was.

'Ik zal je Leksand weleens laten zien.'

Het daverde in haar hoofd. Ze keken elkaar aan, zijn blik was onverbloemd, puur, oprecht. Toen was hij aan de beurt. Hij kocht vier flessen rood. Ze liepen naar zijn huis en namen voor de deur afscheid, omhelsden elkaar.

Daarna wandelde Ester het hele stuk terug naar huis. Vanavond had ze wel honderd kilometer kunnen lopen. De trottoirs baadden in het verzadigde, beloftevolle zonlicht van een middag vlak voor de zomer. 'Ik zal je Leksand weleens laten zien' hoorde ze keer op keer. 'Ik zal je Leksand weleens laten zien.'

Dergelijke toezeggingen kon hij niet doen zonder er iets mee te bedoelen. Dat was onmogelijk.

De nieuwe mogelijkheid die zich had ontvouwen ontpopte zich echter als een nieuw wachten. Ze wilde met haar leven beginnen, zo snel mogelijk beginnen, maar zat alweer te wachten.

Grote, waarachtige liefde was een strijd en een roes, was de verklaring die ze de sceptici gaf voor het feit dat deze relatie zo ingewikkeld was en zo veel van haar vergde, haar kwelde in plaats van vreugde bracht. Het koor vriendinnen ging er nu en dan tegenin: liefde was harmonie en onderlinge zorgzaamheid, niet dit zwoegen waartoe zij veroordeeld was.

Degenen die dat zeiden snapten het niet. De harmonie zou komen als ze ervoor gezwoegd had. Die moest verdiend worden. Je moest lijden en zwoegen voor het genot, dat pas dan iets waard was.

Na het weekend belde ze hem, hoewel ze van plan was geweest om te wachten tot hij zou bellen. Eén dag wist ze te wachten, namelijk maandag, maar meer niet. Hij nam snel op en klonk blij, of gemaakt blij. Weer die overgedienstige en voorkomende stem van een kind dat wil laten zien dat het geen fouten heeft gemaakt en niet heeft gejokt.

Hugo zei dat het zonnig was geweest in Leksand.

Dat zou best kunnen, dacht ze, maar daar had hij niet van geprofiteerd.

Wat er ondertussen voor haar interpretatie toe deed, was de constatering dat hij nog in dezelfde gemoedstoestand verkeerde als een paar dagen eerder. Hij was niet afwijzend en knorrig. Hij had er kennelijk nog steeds belang bij die andere relatie te relativeren door met Leksand te komen. Dat betekende dat hij niet pal achter die vrouw stond, redeneerde Ester, wat weer betekende dat hij niet van haar hield en openstond voor iets anders, redeneerde ze ook, wat betekende dat hij nog in dubio was, wat betekende dat er een kans was en dat die kans groot was.

Dat trouweloosheid een karaktertrek kon zijn en dat wie er ook maar naast hem stond daarmee te maken zou krijgen, kwam niet in haar op. Met Ester zou alles anders zijn.

Hij vroeg of ze dat weekend veel gerend had en ze antwoordde dat ze sinds ze elkaar gezien hadden veertig kilometer had gerend. Haar trainingen lagen nog steeds als iets half doordringbaars tussen hen in, zowel de voorwaarde als het beletsel voor hun contact.

'Maar dat is een complete marathon!' riep hij uit.

'Uitgesmeerd over drie trainingen dan,' zei ze.

Waarom belde ze hem vandaag? Hoopte ze dat het nadenken dat hij beloofd had een antwoord had opgeleverd? Eigenlijk niet. Dat was niet realistisch. Ze belde omdat het weer jeukte, die malarische liefdesjeuk was terug die als hij je cellen eenmaal is binnengedrongen altijd latent aanwezig blijft en elk moment de kop kan opsteken.

De modus die zich geleidelijk had aangediend toen ze zich in de lente eindelijk bij de situatie had neergelegd en gestopt was aan tactische manoeuvres te denken, gestopt was de uren te tellen dat ze heel knap geen contact had opgenomen, was verdwenen in het halve uur dat ze elkaar in het café gezien hadden. Begrijpt het brein dat contact mogelijk is, dan is elk uur te lang. Dat is de staat van verslaving. De staat waarin het hele organisme in beslag wordt genomen door de gedachte aan de roes.

Waarom belde ze hem dan vandaag?

Omdat ze contact met hem wilde hebben. Ze dacht dat ze met een reden moest komen voor het feit dat ze contact opnam en vroeg of hij dacht dat hij al iets kon zeggen... voorlopig uiteraard... dat hij het nog niet weten kon begreep ze... maar bij benadering misschien... een voorzichtige inschatting... van de tijd die hij nodig had om na te denken?

Ze overwoog of ze hem nog een keer te eten kon vragen, deze keer misschien snoekbaars met aardappelpuree en een groene salade, goede olijfolie eroverheen, een droog wijntje erbij. Koffie en chocoladetaart toe, geen ijs, maar smeuïge, zelfgebakken chocoladetaart met een hoog cacaogehalte. Of was chocolademousse meer van zijn stand dan chocoladetaart? Wat ging er eigenlijk goed na vis? Voor dit soort dingen bestonden vast regeltjes en wenken, stevig naast licht en zuur naast zoet.

Ze hoorde een aarzelend kuchje, toen zei hij: 'Nadenken, waarover?'

Het was een vraag zonder sarcasme. Hij wist niet waar ze het over had.

'Je zou nadenken over jou en mij.'

Ze hoorde het kraken terwijl hij zijn geheugen doorzocht. Toen wist hij het weer en zei hij: 'Zo snel gaat dat niet. Over zoiets nadenken kost tijd.'

Van alle mogelijke antwoorden was dit het slechtste, want

alles wat bestaat wil leven en hoop vormt daarop geen uitzondering. Hoop is een parasiet. Hij eet de onschuldigste aller weefsels, gedijt daarop. Hij dankt zijn overleven aan een welontwikkeld vermogen alles wat niet aan zijn groei bijdraagt te negeren en zich te storten op datgene wat zijn voortbestaan voedt. Vervolgens herkauwt hij die kruimeltjes tot elk spoortje voeding gewonnen is. Op dit moment zat hoop met een hemelse bezetenheid te knagen. Een paar korte tellen was ze volkomen gewichtloos.

'Neem alle tijd die je nodig hebt,' zei ze, maar nog voordat ze haar zin had afgesloten, riep hij: 'Oei! Er vliegt hier net een vogel tegen het raam. Wat erg. Volgens mij heeft hij zijn nek gebroken.'

Ze hoorde zijn stoel schrapen.

'De natuur is ongenadig! Arme vogel. Ik moet hem helpen. Hij ligt hier te kermen van de pijn.'

Ester zag de vogel voor zich. Hij moest op de metalen raamdorpel terecht zijn gekomen, die maar een paar centimeter breed was. Het leek haar fysisch onmogelijk dat hij recht naar beneden gevallen en bovendien niet van het randje gegleden was als hij zoveel vaart had gehad dat hij zwaargewond was. Maar misschien was het anders gegaan.

Ze vroeg zich af hoe de vogel zo'n ongelukkig tijdstip had kunnen uitkiezen.

'Het is bijna zomer,' zei ze. 'Dan ben je weg, toch?'

'Ja, het is al zomer,' zei hij. Uit zijn mond klonk het als iets intrinsiek geweldigs.

'Ik heb een hekel aan de zomer,' zei Ester.

'Dat kan ik me voorstellen, zo kritisch als je bent over alles wat anderen leuk vinden.'

'Mijn redenen schijnen de allerbeste te zijn.'

Ze drukte het gesprek uit. Het was maandenlang stil tussen hen.

Na de marathon, het eerste weekend van juni, had ze ongekend veel zin om hem een berichtje met haar eindtijd te sturen: 3.45,27; alleen die maar en verder niets. En misschien ook: '27 graden'. En misschien ook: 'Zere benen'. En misschien ook: 'Heb je zin om komende week af te spreken?'

Ze schreef het allemaal, wiste het.

~

Elke dag maakte ze haar bed op. Dat wees op innerlijke standvastigheid had ze gelezen. Vervolgens lag ze in haar warme appartementje op de sprei terwijl de uren zich opstapelden. Door de immer geopende ramen hoorde ze de zomerklanken van wespen, vliegen en meeuwen.

Ze dwong zich tot werken, maar had niets te zeggen.

Een kennis had geopperd dat ze Majakovski's briefwisseling met Lili Brik moest lezen. Ze las die en zag dat iedereen op eendere wijze en om vergelijkbare redenen liefhad en huilde, iedereen bedroog en werd bedrogen op eendere wijze en iedereen dacht dat er tot dan toe niemand zo lief had gehad of zo veel pijn had geleden. Iedereen was op eendere wijze uniek. Ongeacht waar of wanneer.

Een deel van het koor vriendinnen raakte geïrriteerd toen ze van de Russische troost vertelde en zei dat zij leek te denken dat haar leed haar beter, voornamer en gevoeliger maakte.

'Alsof het om jou en de Dichters gaat. Elk hart kent zijn eigen verhaal, jouw liefde is heus niet groter dan die van anderen.'

Ze vond het misverstand kwetsend omdat Brik en Majakovski haar juist het tegenoverstelde inzicht hadden gegeven: dat ze niet alleen was en haar leed niet bijzonder. Bovendien was ze zelf dichter. Het voelde ongemakkelijk dat hechte vriendinnen haar niet begrepen en als hooghartig terechtwezen. Wanneer ze haar enthousiasme over iets wat ze gelezen of gedacht had wilde delen, dan was dat immers in de veronderstelling van absoluut vertrouwen, omdat ze zich vrij voelde bij degene die ze sprak en geen uitschieters hoefde te snoeien, niet bang hoefde te zijn dat die tegen haar gebruikt zouden worden.

Wat ze moest leren was dat je bij niemand echt kon laten zien wat er vanbinnen speelde. Een dergelijk vertrouwen was non-existent. Iedereen had wel ergens een holletje waarin scepsis en aversie huisden, een heimelijke afgewendheid die werd gevoed door angstvallige controle, afgunst en doodgewone rancunes, waarin alles werd weggestopt wat er tijdens openhartige bekentenissen gedacht werd.

Je moet enorm van een ander houden om diens honger te kunnen verdragen.

Ester ging die zomer vaak naar de film. Vluchtte de tempel der levensangstigen in, de lokalen der lichtschuwen. Op een middag zag ze Kurosawa's *De zeven samoerai*. Na afloop wilde ze er met Hugo over praten. Over alles wilde ze met Hugo praten, maar in het bijzonder over deze film, waarvan hij in een interview had gezegd dat hij er diep door beïnvloed was.

Maar hij was ergens in Europa met die vrouw. Ze trokken 's zomers naar het zuiden. Hij bekeek slagvelden van een van de wereldoorlogen. Dat had zijn interesse: locaties, ruïnes, kerkhoven. Hij fotografeerde ze, maakte er schetsen van, ontleende er beeldideeën aan en kreeg ingevingen voor morele standpunten over macht en geweld. Alles wat op het rauwe en het armzalige van de mens duidde, en ook het kleine gebaar van warmte in de schaduw van de rauwheid, gaf hem extra stimulans.

Ester verliet de duisternis van de bioscoop en liep in de niet-aflatende zon naar huis. Hij vloeide en brandde, prikte in haar ogen en deed haar verlangen naar de koelte. Ze hekelde de zon om zijn hitte, om zijn gebrek aan nederigheid jegens zijn bronnen en haar eigen afhankelijkheid van hem, en omdat het hem niets uitmaakte of zijn verdomde stralen haar leven of dood betekenden.

Toen, van de een op de andere dag, kwam er een nieuwe klank in het loof, een vergeten scherpte in de lucht. De herfst had een verkenner op pad gestuurd. Eindelijk zou de bandeloze zomer plaatsmaken voor de tijd van disciplinering en terugtocht, de tijd dat de harmonieuzen terugkeerden uit hun zomerverblijf en de eenzamen minder eenzaam werden.

Ester bood een nieuwe kennis, een dakloze bohemien uit Boston, enige tijd woonruimte in haar keuken. Het was een kunstrecensent die een uitgebreid en erudiet essay over Hugo Rask had geschreven. Zo waren ze met elkaar in contact gekomen. Ze bezocht hem na de zomer op de universiteit om een paar vragen te stellen en hij bleek woonruimte nodig te hebben. Als het niet mogelijk was om Hugo bij zich te hebben, moest iemand die zijn kunst kende maar als vervanging dienen. Ze hadden er dagelijks urenlange gesprekken over. Ze kocht een koffiezetapparaat voor twee en overwoog of ze met hem naar bed kon gaan. Al snel verzocht ze de Amerikaan weer te vertrekken. Ze kon er niet tegen steeds in de gaten te worden gehouden en nooit met haar gedachten alleen te zijn. Elke morgen hield hij haar badkamer een uur bezet. Ten slotte schreeuwde ze tegen hem dat ze alleen moest kunnen zijn en waarom vond hij dan geen woonruimte, hij die zo hoog opgaf van zijn netwerk. Hij vertrok nog diezelfde dag.

~

Het was stil geweest tussen Hugo en Ester sinds er een van de laatste dagen van mei een vogel zijn nek had gebroken tegen zijn raam.

Eind september kreeg ze een mailtje.

Hugo Rask stuurde haar een mailtje.

Vier maanden nadat ze voor het laatst contact hadden gehad, vond ze een bericht van Hugo Rask in haar mailbox.

Ze was ervan overtuigd geweest dat ze nooit meer iets van elkaar zouden horen.

Ze werd extatisch bij het zien van zijn naam alleen al, en dacht aanvankelijk dat ze zich vergiste, dat het een oude mail was die de draak met haar stak.

Wat schreef Hugo Ester dan na deze lange stilte? Hij schreef dat hij recent aan haar had moeten denken toen hij een stuk in de krant las en dat hij gisteren zijn meniscus operatief had laten verwijderen.

Hun gemeenschappelijke lichaamsdeel, zijn knie, die ze had mogen aanraken voordat ze hem mocht vastpakken. Niet verbonden met risico's, maar wel met voldoende erotiek om de verwijzing nu als een lasso te kunnen gebruiken. Die vroege winter had ze hem elke keer dat ze elkaar zagen gevraagd hoe het met zijn knie ging en er onder tafel in geknepen om een diagnose te stellen. Ze was thuis in slijtageschade.

Hij schreef ook een zinnetje over de zojuist gehouden verkiezingen en betreurde de uitslag, liet weten dat hij de laatste tijd hard en intensief gewerkt had en dat het lang geleden was dat hij sociaal had kunnen zijn.

Zouden ze anders hebben afgesproken, was dat wat hij wou zeggen? Of bedoelde hij dat hij niet alleen haar nooit zag: hij had überhaupt nooit tijd dus ze hoefde zich niet ingeruild of aan de kant gezet te voelen?

Ester vroeg zich af wat hem ertoe had bewogen contact op te nemen. Wat ze kon bedenken was dat ze bestuurslid was van een mensenrechtenorganisatie die hem had benaderd met een verzoek tot samenwerking. Tijdens de vergaderingen waarin ze Hugo's belangrijke werk inzake mensenrechtenvraagstukken hadden besproken en geopperd was om hem bij het nieuwe project te betrekken, had zij haar mond gehouden. Hugo had een afspraak toegezegd en haar medebestuursleden hadden Ester gevraagd mee te gaan omdat ze wisten dat zij een jaar geleden een lezing over hem had gehouden en zijn kunst en moed bewonderde. Ze had de uitnodiging afgeslagen. Hugo wist dat ze in dat bestuur zat. Gisteren was dat overleg. Haar afwezigheid was hem natuurlijk opgevallen en had hem aan het denken gezet.

De dynamiek was al even wetmatig als de getijbeweging en kende dezelfde oorsprong.

Maar dat je aanbeden wilde worden zonder die liefde te willen beantwoorden vond Ester zo vreemd dat ze moest aannemen dat het feit dat hij contact opnam nadat hij ontdekt had dat ze hem ontweek, erop wees dat hij haar miste. Anders begreep ze niet waar hij mee bezig was.

Als een angstbeeld presenteerde zich de mogelijkheid dat

hij zich er alleen van wilde vergewissen dat ze hem nog steeds goedgezind was. Maar dat beeld beklijfde niet. Zo door en door cynisch kon ze er niet over denken, al had ze genoteerd hoe hij de wereld altijd op zijn alleraardigst wilde bejegenen, omdat de wereld potentieel gevaarlijk was. De wereld, dat was het vreemde, dat was in dit geval zij, die ontwapend moest worden voor het geval ze een wapen wette. Voortdurend wette de wereld wapens. Liever dan de liefde en bewondering te verliezen die haar trouw en koest hielden, en hen beiden vrij te laten, wierp hij nog een bot toe – en haar de gehaktmolen weer in.

Afzien van de gestes van halfslachtige zorgzaamheid.

Ertegen kunnen om het masker van de wreedheid te dragen.

Het been amputeren dat anders door koudvuur wegrot.

Dat was niets voor hem.

Ze wachtte een volle dag met haar antwoord. Het kostte haar twee uur om tot vijf regels te komen. De mededeling die ze uit die inspanning perste was gecontroleerd en terughoudend, maar voldoende bevestigend en vol van triest verlangen om ervoor te zorgen dat hij niet weer van zich zou laten horen.

Hij vernam wat hij moest vernemen en kon er het zwijgen toe doen.

Een sprankje van iets heerlijks en niets is moeilijker dan er helemaal niets van te krijgen. Hugo's rentree in haar bestaan deed in een paar tellen het verzachtende werk van maanden teniet. De jeuk werd opgepord en ze zocht weer toenadering, ervan overtuigd dat wie zich niet inspant, niets toekomt. En hij was ontvankelijk. Alles werd groter, alles kwam terug. Wat in haar lichaam had liggen rusten, stond ongeschonden op en begon het opnieuw te regeren. De uren waren weer lang en vol verwachting, en alles behalve contact was zinloos, wat inhield dat bijna alles zinloos was aangezien het contact zowel schamel als schaars was.

Het koor vriendinnen zei: 'Er is te lang overheen gegaan. Zou hij iets van je willen, dan liet hij dat wel blijken.'

Ester keerde het koor vriendinnen de rug toe. Ze snapten het niet.

Eén keer die herfst zei hij dat hij haar zou bellen zodat ze een afspraakje konden plannen. Hij belde niet. Toen zij belde, zei hij dat het goed was dat ze van zich liet horen omdat hij haar nummer was kwijtgeraakt toen hij zijn nieuwste mobieltje kreeg. Ze stuurde hem een ouderwetse brief met de vraag waarom hij contact opnam en haar steeds dingen voorspiegelde als hij die vervolgens toch niet waarmaakte. Geen antwoord.

Met een helderheid als van kristal zag ze dat haar gedrag ongerijmd was, en ze weet het aan hem: als hij in september maar niet zo nietserig van zich had laten horen, als hij haar maar met rust had gelaten. De sterkere, degene die het minste wil, moet zijn impulsen beteugelen, zei ze tegen het koor vriendinnen, toen dat de vraag stelde waarom ze zich niet op haar eigen gedrag concentreerde in plaats van het zijne, ze kende hem toch goed genoeg. Hem kon ze niet veranderen, alleen zichzelf enz.

'Veranderen kost hem minder moeite dan mij, want híj wil niets,' zei Ester. 'Hij moet de discipline opbrengen en niet ik, want ik wil dat er iets gebeurt dat er nu niet is. Hij loopt geen risico als hij niet van zich laat horen. Ik loop het risico een microscopische kans te missen.'

'Je gelooft toch zeker niet in wonderen?' zei het koor vriendinnen.

Ze maakte zichzelf en anderen wijs dat ze de hoop van hen twee had laten varen. Ze zocht alleen erkenning – van wat geweest was, dat er iets geweest was, dat hij iets gevoeld had, dat er momenten waren geweest waarop hij getwijfeld, gewankeld had – en dat hij deze herfst van zich had laten horen, hoewel alles voorbij was, omdat er ergens vanbinnen een klein zwak was dat niet wilde uitharden.

Als er niets anders meer rest, is er eerherstel om voor te vechten, zodat je de strijd kunt voortzetten en niet hoeft te berusten. Ook eerherstel veronderstelt contact. Raakte ze dat verlangen naar contact nou maar kwijt. Het holde haar uit. Kon ze nou maar onverschillig voor hem worden.

Ze dacht aan het wonderlijke dat de aarde zeven miljard mensen telde die niet van een berichtje van hem afhankelijk waren. Wier gezondheid en welbevinden er niet van afhing. Waarom die van haar dan wel? Het was volkomen onzinnig. Waarom kon ze niet hetzelfde voor hem voelen als die zeven miljard, die hun levens leidden zonder zich ook maar enigszins druk te maken om waar hij mee bezig was.

Het koor vriendinnen zei: 'Geef het op, laat die man. Hij doet je geen goed.'

Het koor vriendinnen snapte er niets van. Het was die zeven miljard.

Het werd november en men legde de laatste hand aan een documentaire over Hugo Rask. Hij nodigde haar uit voor een voorvertoning zodat ze haar visie op de film kon geven. Hij had, in zijn woorden, haar 'kritische blik en scherpe brein' nodig, want de film kon nog opnieuw gemonteerd worden.

Ze ging erheen, blij met het compliment, maar vooral ook blij om hem weer te zien. Het was voor het eerst in een half jaar, voor het eerst sinds ze in het café op het plein koffie hadden gedronken en hij haar Leksand zou laten zien.

De filmstudio lag op de begane grond van een pand aan de Bergsgatan, een klein lokaal met een aftandse inrichting en tl-buizen aan het plafond. Ze liep er ruim op tijd naartoe, dus om niet de eerste te lijken bleef ze op de hoek van de straat staan wachten, met zicht op de deur. Toen er meerdere mensen waren gearriveerd, liep ze erheen. Ze trof vooral de gebruikelijke entourage van bewonderaars, de complete schare onbetaalde stagiairs van de kunstopleidingen, die voor hem werkten in de hoop dat hun ziel door het penseel van zijn genialiteit bestreken zou worden.

Het zaaltje werd verduisterd en de film begon. Hij duurde ongeveer een uur en volgde hem in de verschillende stadia van zijn werk en aan de hand van interviews waarin hij zijn opvatting over de wereld oplepelde. Ze had het eerder gehoord, de voorbeelden en anekdotes die hij altijd aanhaalde en die hij, naar ze gelezen had, twintig jaar geleden al verteld had. Geen variatie, geen beweging. Zijn hoofd leek op hoog niveau gestold te zijn en vast te zitten.

Toen de film was afgelopen werd iedereen gevraagd zijn gedachten erover uit te spreken. Tot Esters verbijstering had niemand kritische kanttekeningen bij wat ze hadden gezien of zelfs maar een interessante beschouwing erover. Ze begreep alle lof niet. De film was totaal zinloos en onaf, vertelde geen verhaal, was hooguit acceptabel als vroege schets en miste, zoals vroege schetsen eigen, de diepte die alleen wordt verkregen uit het bezinksel van een proces bij een werk dat de tijd heeft gekregen. Dit was afgeraffeld. Bovendien was de film gênant gedwee.

Terwijl ze naar hun werktuiglijke verering en cultus luisterde, dacht ze dat de anderen, degenen die deel uitmaakten van zijn staf, hem aanbaden – maar zij hield van hem. Wie liefhad hoefde niet te vereren. Voor de aanbidder moest het object ongeschonden blijven omdat het zou barsten als er gebreken ontdekt werden. Wie liefhad kon zich daarentegen in alle vrijheid een oordeel vormen. Zij hield ook van hem als het aanbiddelijke wegviel, ja, meer nog zelfs, want zij hield van zijn persoon, niet van zijn werk. En was dat niet wat de redacteur van *De Grot* precies een jaar geleden, zonder dat Ester dat toen ten volle begreep, bedoeld had?

Het was Esters beurt om iets te zeggen en ze begon met een aftastende vraag, want ze wilde niet lomp overkomen: was het de bedoeling geweest om een pr-film over hem te maken, met het oog op de komende tentoonstellingen in Tokio en Turijn? Hugo's uitdrukking veranderde, werd kwetsbaar, en hij zei dat hij niets met de productie te maken had gehad. Het moest een indringende, objectieve documentaire zijn. Zwijgend overwoog Ester hoe ze datgene wat ze volgens haar moest zeggen zou aanpakken.

'De film voelt heel onkritisch,' zei ze.

'Waarom zou hij kritisch moeten zijn?' vroeg iemand uit zijn staf.

'Ja. Moet je altijd fouten vinden?' zei een ander.

'Hij hoeft uiteraard niet kritisch te zijn in de zin van negatief,' zei Ester, 'of ook maar vermeend objectief. Maar een documentaire moet vragend en neutraal zijn, onvoorwaardelijk zoekend, bereid om de ingesleten blik en het lakse denken van de kijker te doorbreken. Deze weet bij aanvang van het filmen al wat hij wil en bezigt de frasen die altijd over Hugo gebezigd worden. Hij wil niet iets uitzoeken, hij wil onze bestaande opvattingen bevestigen.'

'En wat zijn onze bestaande opvattingen?'

De vraag kwam voort uit de irritatie van zijn mentale bedienden en schoonmakers, zij die de taak gekregen en op zich genomen hadden om de aanbedene ervoor te behoeden de waarheid te moeten horen, dezelfde waarheid die hij naar eigen zeggen zocht.

Hij wilde aanbiddende mensen om zich heen hebben, dacht Ester, dat was wat hij wilde, en hij zorgde ervoor dat dat lukte en liet hun blijken dat dat van hen verwacht werd. Hij wilde haar 'kritische blik en scherpe brein' helemaal niet, noch in zijn liefdesleven, noch bij zijn werk. Hij had haar in zijn buurt geduld zolang ze niet zag wie hij was.

'De film wil prijzen,' zei ze. 'We moeten het gefilmde object aanbidden.'

'Op onverdiende wijze, of wat?' zei zijn staf.

'Verdiend of onverdiend, dat doet er niet toe. Loftuitingen zijn oninteressant. Je wilt iets leren, verdieping krijgen, de oplossing van een probleem, interpretatie. Geen panegyriek.'

Nu pas viel haar op dat de zuurste vragen door Eva-Stina gesteld waren. Ze had een ander kapsel en een andere bril dan afgelopen winter, misschien had ze haar haren ook wel een nieuw kleurtje gegeven. Ze zat naast Hugo, erg dichtbij zat ze, en als ze niet zat te gapen bij de onbenulligheden die gedebiteerd werden, keek ze duivels uit haar ogen.

Het was een bijzonder onaangenaam moment. Ester had

er spijt van dat ze naar de voorvertoning was gekomen.

'Het is een goede film,' zei ze. 'Ik geloof dat ik hem nog een keer moet zien om er echt iets over te kunnen zeggen.'

Ze braken op en de hele groep ging een hapje eten in een nabijgelegen restaurantje. Sommigen leken het gevoel te hebben dat er zojuist exclusie had plaatsgevonden; ze bejegenden Ester extra welwillend terwijl ze op het eten wachtten, op de ontfermende en minzame manier waarop overtuigde maar tolerante mensen welwillend zijn als de kloof te groot is. Aardige zielen, adepten, die overzorgzaam worden omdat het weinig fraai en hard zou overkomen als ze hun afschuw over het onbenul van de afwijkende zouden tonen. Ze glimlachten sektarisch en vroegen in hoeverre ze bekend was met het ambacht van de documentaire film. Ze glimlachte terug, even bang als zij, en antwoordde dat haar bijzondere interesse uitging naar de mechanismen van onderwerping en de aanbidding van leiders in totalitaire systemen, niet naar documentaires. Ze negeerden haar repliek en drongen hartelijk glimlachend aan meer te mogen weten van haar onwetendheid aangaande de specifieke voorwaarden en esthetiek van documentaires.

Ze aten en dronken en toen het tijd was om naar huis te gaan stond Hugo Rask in het bleke licht van een winkeletalage op de stoep. Hij stond daar met Dragan, die toen Ester kritiek op de film uitte zijns ondanks met interesse naar haar had gekeken. Ester had aan hem kunnen zien dat hij het met haar eens was. Aan de andere kant van Hugo stond Eva-Stina, met haar handen in haar zakken en dat haar dat onder de rand van haar muts krulde. Op een voor Ester onbegrijpelijke manier leek het voor hen heel vanzelfsprekend dat

Eva-Stina daar naast hem moest staan.

Het had pas geregend. Het asfalt was een donkere spiegel waarin ze zichzelf en elkaar zagen.

~

De herfst verstreek, de dagen losten elkaar af, de uren hadden meer tempo, want Ester had de hoop weer opgegeven. Sinds de voorvertoning heerste er stilte.

Een paar dagen voor kerst ging ze naar een feest, een grote happening waarvoor iedereen die zich in het openbaar had uitgelaten over het culturele klimaat in het land was uitgenodigd. Ze stond wat in haar bisschopswijn te roeren, toen ze hem een eindje verderop zonder gezelschap aan de kant zag staan. Ze had zich geen moment gerealiseerd dat hij genodigd kon zijn, er waren vooral journalisten, academici en schrijvers. Hun blikken kruisten elkaar, hij hield de hare vast.

De gasten stonden dicht opeengepakt, velen hadden zich uitgelaten over de maatschappij waarin ze leefden, een menigte van gelijkgestemde anticonformisten, de meeste onderweg naar een leuker feestje elders. Mensen kwamen bij hem staan voor een kort praatje om vervolgens naar het volgende gezelschap door te stromen. Ester probeerde hem discreet in de gaten te houden, maar had door dat hij zich even bewust was van haar positie in de zaal als zij van die van hem. Om dat te verhullen liet hij zijn blik rusteloos dwalen.

Het was het soort feest waarop je de hele tijd stond, met je bord in de hand en je glas vastgeklemd in een plastic houdertje. In een mum van tijd was ze vormeloos week. Ze was dankbaar voor al die recente keren dat ze zich had ingehouden toen ze hem haar ongedeelde minachting had willen laten weten. Zelfbeheersing hoefde je vrijwel nooit te betreuren. Woede en sneren wilde je vrijwel altijd ongedaan maken. De moeilijkheid was te weten wanneer je je in de kloof tussen 'vrijwel nooit' en 'vrijwel altijd' bevond, wanneer je woedeaanval gerechtigd was en het gunstigste resultaat had.

Ester liep naar hem toe.

Elkaar omhelzen, zoals anderen om hen heen, deden ze niet. Dat was een goed teken, hun lichamen waren nog steeds geladen, dacht ze. Dat ze nog steeds in tekens dacht was niet goed, dacht ze in de uithoeken van haar bewustzijn, maar symboliseerde haar onvrijheid. Hij leunde wat achterover en zijn ogen glinsterden, maar ze meende een achterliggende angst te zien. Ze stopte een olijf in haar mond.

'Ze hebben lekkere olijven,' zei hij. 'Niet uit een potje.'

'Ik dacht dat jij niet naar dit soort happenings ging,' zei ze.

De uithoeken van haar bewustzijn hoorden: agressiviteit van de afgewezene, subtiel sarcasme, toegestaan vanwege de underdogpositie.

'Dat doe ik ook niet. Maar ze bleven zeuren.'

Hij keek een andere kant op.

Als teken: niet goed.

'Had je gedacht dat ik hier zou zijn?' vroeg ze.

'Daar heb ik niet over nagedacht.'

Als teken: slecht, maar onverschilligheid kan evengoed geforceerd zijn en het tegendeel bewijzen.

'Hou je van dit soort eten?'

Hij bekeek zijn bordje alsof hij het eten niet eerder gezien had. Zei: 'Zijn dit niet die oude vertrouwde geoliede antipasti?'

Hij maakte een grapje: veelbelovend.

Ze lachte hoorbaar, waarop hij begon te stralen: goed. Het wat afwachtende week: heel goed. Maar hij ging ook op zijn andere been staan en keek de ruimte rond op een manier waaruit, minder goed, bleek dat hij slecht op zijn gemak was en daar niet met haar wilde staan: verschrikkelijk, hij zocht een reden om te gaan, zocht vluchtwegen: catastrofe.

Het koor vriendinnen had zich in haar hoofd genesteld en zei: 'Maar snap dan toch dat hij je niet wil, jullie hebben al bijna een jaar niets meer met elkaar. Waar ben je mee bezig?'

Ze dacht: ik zou weg moeten gaan. Maar ik wil niet. Ik wil hier bij hem staan. Het is de enige plek ter wereld waar ik wil staan.

Het koor vriendinnen zei: 'Waar is je trots?'

Ze antwoordde: 'Ik heb geen trots, want trots is verbonden met schaamte en eer, en ik ben schaamteloos en heb geen flauw benul van wat anderen roemrijk vinden.'

Het koor vriendinnen zei: 'Dát is je trots, laten zien hoe vrij je bent van die dingen die meer geconformeerde zielen gekluisterd houden. Diep vanbinnen ben je een snobistische aristocraat.'

Even verderop stond een groepje over de jongste aanvalsoorlog van de VS te praten. Het regime daar was weliswaar verschrikkelijk, zeiden ze, maar het was beter geweest als er was ingezet op ondersteuning van de ondergrondse democratiebewegingen. Hugo Rask draaide zijn hoofd hun kant op.

'Het wordt er echt niet fijner op door een bom de lucht in

te vliegen als het een democratisch gekozen regering was die de werper op pad stuurde,' zei Ester Nilsson.

'Sorry?'

'Volgens mij ben ik eigenlijk pacifist. Ik ben erop uitgekomen dat dat op de lange duur het beste is. Ook al word je dan binnengevallen, bezet, van je vrijheid beroofd, tot slaaf gemaakt. Je zou je niet eens moeten verdedigen, gewoon opgeven. De waterstofbommen in zee gooien, zoals Olof Lagercrantz schreef. Domweg afspreken dat geweld nooit is toegestaan. Anders ben je eeuwig consequenties aan het afwegen en je komt onmogelijk goed uit.'

Hij knikte, maar op de verkeerde momenten. Zelfs als pacifist wist ze geen interesse bij hem op te roepen.

Hij nam opgelaten slokken van zijn wijn. Degenen die de recentste Amerikaanse aanvalsoorlog bespraken, hadden tegenspraak gekregen van een vluchteling uit het kapot gebombardeerde land, iemand die carrière had gemaakt als schrijver van opiniestukken en die nu zei dat het opblazen van dat domme volk van hem het enige zinnige was, want iets anders snapten ze toch niet.

Hugo keek met een schuin oog naar Ester om te zien wat ze dacht. Maar ze zag ook dat hij niet echt op haar ideeën hierover, of over iets anders, stond te wachten. Hij wiegde ongelukkig van de ene voet op de andere.

'Een vluchtelingenstatus is geen garantie voor goede opvattingen,' zei Ester.

'Het is druk,' zei Hugo.

'Ja.'

'De complete cultuurmaffia.'

'De hele maffia, ja, en wij,' zei ze met droge zelfspot en keek voor het eerst van hem weg, iets wat meteen aan zijn alertheid en aandacht appelleerde.

'Denk je dan niet dat het voor sommigen vanzelfsprekender is om zich daaronder te scharen?' zei hij. 'Wij zijn toch een beetje buitenbeentjes, jij en ik.'

De voorste regionen van haar bewustzijn: een saamhorigheidscommentaar, gevoed door haar hint naar berusting. Direct had hij op haar distantiëren gereageerd. Zo was het steeds gegaan, dacht ze vanuit een soort zelfverdediging, en daarom zat ze in zijn netten verstrikt.

'Iedereen meent tegen de stroom in te gaan,' zei Ester. 'Dat ís de stroom.'

'Misschien is dat de menselijke voorwaarde,' zei hij.

'Vermoedelijk. Een van de voorwaarden.'

Ze maakte zich op voor verdere verkenning van de zaal.

'Ik heb een boek gezien dat ik voor je wilde kopen,' zei hij.

Uit angst dat hij spijt zou krijgen vertrok ze geen spier.

'Waar?'

'In een boekhandel. Maar hij was dicht. Het lag in de etalage. En ik moest aan je denken. Bedacht me dat ik het voor je moest kopen.'

Haar bloed was opnieuw aan het kolken. Dat ging zo snel, zo ongelofelijk snel en daarna was alles weer heel lang mis.

'Welk boek was het?'

'Ik ben de titel vergeten. Het ging over een van je specialismen. Een van al die dingen waar je kritisch over bent.'

Hij keek haar afwachtend aan. Ontwapenend gingen zijn mondhoeken verder uiteen. Haar afwijzen deed hij nu niet, integendeel, met zijn dubieuze charme nodigde hij uit.

'Vind je mij kritisch?'

'Ja.'

'Te kritisch?'

'Soms.'

'Oordeel jij dan niet meedogenloos over de moraal van anderen?' vroeg ze.

'Alleen als ze macht hebben. Jij bent kritisch ongeacht de macht die mensen hebben.'

'Ja, ik probeer geen onderscheid tussen mensen te maken, maar naar hun handelen te kijken, aangezien dat handelen relevant is.'

'Farmaceutische bedrijven, westelijke regeringen, topambtenaren en zo, daar moet je kritisch op zijn. Niet op de onschuldige, kleine lui,' zei hij.

'Mensen zijn minder klein dan we denken. En minder groot. Neem je de macht als graadmeter voor je oordeel in plaats van het handelen, dan is het probleem dat vrijwel iedereen met een vrijbrief komt; wanneer dat zo uitkomt weten we allemaal onze machteloosheid te vinden. Allemaal zijn we namelijk machteloos tegenover iemand en iets. In ons allemaal zit een laagje machteloosheid, in hoe we onszelf in het bestaan ervaren, en daar maken we dan gebruik van. Daarom toont de wereld zich ook zoals hij doet. Geen macht die niet ergens kiert, zelfs niet bij diegene die weet heeft van zijn macht en verantwoordelijkheid, en iedereen kan die kier uitbuiten om te begrijpen waarom hij niet anders kán handelen. De moraal begint bij het individu. Die moet je van iedereen vragen. Degenen met macht werden machteloos geboren en dat is het gevoel dat hun levenslang bijblijft, met name op momenten dat ze het verkeerde doen. Dan herinneren ze zich dat ze op het schoolplein gepest werden of door hun vader geslagen, en beseffen ze dat alles ook nu weer de fout van anderen is.'

Ze vroeg zich af in hoeverre hij doorhad dat ze het over hen had. Vermoedelijk helemaal niet. Hij keek naar haar, geamuseerd maar sceptisch of, wie weet, sceptisch geamuseerd. Ze kon het niet zeggen.

'Dus de hongerlijder die eten en geld steelt, moet zijn moraalfilosofie bijspijkeren?'

'Die persoon heeft zijn morele afwegingen waarschijnlijk al gemaakt en geconcludeerd dat de beste uitweg er op dat moment uit bestaat eten te stelen van iemand die het missen kan.'

'Dan begrijp ik niet wat je bedoelt. Zeggen we niet allebei hetzelfde?'

'Nee. Jij vindt dat iedereen die formeel machteloos is ook geen verantwoordelijkheid voor zijn handelingen draagt. Mijn instelling geeft extra sterke redenen voor een gelijke maatschappij in vrijheid. Want van iemand die honger heeft, die verhongert, die buiten zijn schuld alles is kwijtgeraakt, kun je niet hetzelfde handelen verwachten als van iemand die genoeg heeft, maar wat je wel kunt vragen is moreel inzicht, morele afwegingen en dat iedereen zo handelt dat anderen er zo min mogelijk schade van ondervinden.'

'Wat is het verschil met wat ik zeg?'

Ze wist het moment te dateren dat ze hem voor het laatst zo intensief en tegelijkertijd open had zien kijken. Dat was in februari geweest, vlak voordat de problemen begonnen, toen ze tussen zijn trompe-l'oeilcoulissen stonden en hij haar waardering kreeg. Toen hij die keer naar haar glimlachte, had er niets dan erkentelijkheid uit zijn gezicht gesproken. Nu zag ze het weer, een paar tellen maar.

'Zijn we het er niet eigenlijk over eens dat morele verantwoordelijkheid door macht bepaald wordt, en zijn we het er alleen over oneens wanneer iemand machteloos is, oftewel: waar de grens moet komen te liggen?'

Ester raapte een servet van de grond die hij in zijn aanwakkerende enthousiasme over het gesprek had laten vallen en stopte die in zijn broekzak. Daarmee deed ze iets intiems en toen hij op geen enkele wijze protesteerde, riep het een gevoel van verrukking in haar op: ze hoorden ondanks alles bij elkaar.

'Volgens mij zei ik eigenlijk iets anders, maar wat precies zal me op dit moment worst zijn,' zei ze.

De groep die het over Amerikaanse aanvalsoorlogen had gehad, was uiteengegaan, in afwachting van volgende misschien.

Op Hugo's gezicht lag een uitdrukking van peinzende verstandhouding en ze voelde dat ze gelijk had gehad en dat het goed was geweest om vol te houden. Ze waren nog niet klaar met elkaar.

Hij raakte zachtjes haar arm aan, verontschuldigde zich. Hij moest even een praatje maken met een oude bekende aan de andere kant van het vertrek, knikte haar warm toe en liep weg. Ze volgde zijn rug. Hij draaide zich om en stak zijn hand op.

Door de feestverlichte decemberstraten liep Ester daarna naar huis. De sneeuw had de hele dag door de lucht gewerveld. Zeshoekige, regelmatige kristalpatronen, allemaal eender, geen twee hetzelfde.

~

Nu moet ik er niet bovenop zitten, dacht ze. Geduld. Libertair zijn en vol luw vertrouwen. Gewoon wachten tot hij van zich laat horen. Waarschijnlijk ging hij dat boek kopen, zou hij haar bellen voor een afspraakje om het te kunnen overhandigen. Je kon immers geen boek aan iemand toedenken die naar je wist van verlangen bijkans in coma had gelegen en met wie je je bovendien had ingelaten, zonder daar iets mee te bedoelen.

Er niet bovenop gaan zitten, afwachten.

Het werd kerst, de tweede kerst dat ze zich enkel en alleen aan haar gevoelens wijdde, aan haar verlangen en haar gebrek aan levenslust.

Het werd Nieuwjaar. Ze dacht positief.

Het werd Driekoningen. Ze dacht op de lange termijn. Er niet bovenop zitten. Geduld. Afwachten. Hij had haar een boek toegedacht, dat deed je niet zonder er iets bij te voelen of mee te bedoelen. Hij had hun gesprek tijdens het kerstfeestje gewaardeerd. Hij was nog in Malmö. De feestdagen en weekenden volgden elkaar op.

Na alle kwetsuren vergde de volgende stap behoedzaamheid, dacht ze. Ze konden zich niet nog eens hals over kop ergens in storten, zich geen slordigheden permitteren. Nu moesten ze het ordentelijk doen en het contact kunnen onderhouden als het eenmaal werd opgepakt. Dus het was niet meer dan normaal dat hij niet van zich liet horen.

Vijftien januaridagen en een doodstille telefoon. Ze merkte hoe woest ze op hem was. Hoe kon hij zeggen dat hij in een etalage een boek voor haar had gezien als hij daarmee niet bedoelde dat hij ook iets anders wilde? Dat kon je niet maken met hun verleden in het nog zinderende geheugen.

Het koor vriendinnen zei: 'Je hebt gebrek aan kennis over de menselijke mechanismen van schuldregulatie, die zijn intricaat, gevoelig, nemen "het echte gevoel" voortdurend beet. Ze zijn bedoeld als zalfje met dubbele werking, ter verzachting van zowel het geweten van de een als de pijn van de ander. Wreed worden ze pas als iemand op het idee komt ze te vertalen in handeling.' 'Het zijn performatieve woorden,' zei de academische afdeling van het koor, een van haar vriendinnen was bezig aan een proefschrift over J.L. Austin. 'Ze zijn een handeling in zich, de schuldregulatie bestaat uit het uitspreken van de schuldregulerende woorden. Ze zijn niet bedoeld om een buitentalige werkelijkheid te representeren. Die intentie hebben ze niet, net zoals de vraag "Je blijft toch zeker altijd bij me!" niet over de toekomst, maar over het heden gaat.'

Toen het koor vriendinnen volhardde, zei Ester dat ze vast gelijk hadden, maar dat ze om het vol te houden moest denken dat het anders zat. Zag ze de geringste mogelijkheid voor een positievere interpretatie, zou ze die verkiezen tot het tegendeel vaststond.

Op de zestiende januaridag belde ze hem. Hij nam niet op, maar op het schermpje van zijn telefoon kon hij natuurlijk zien dat ze gebeld had, hij zou daarom wel snel terugbellen.

Twee dagen verstreken. Hij belde niet terug.

Niets kon ze van hem eisen dat de wroeging zou verzachten. Twintig minuten met elkaar praten op een cocktailparty schiep geen verplichtingen. Dat je een boek zag en van plan was dat te kopen voor iemand met wie je bijna een jaar geleden naar bed was geweest, betekende alleen dat er van animositeit geen sprake was.

Waarom meende ze dan toch dat hij bepaalde verplichtingen had? Waarom vond ze haar vertwijfeling legitiem?

Dit was Ester Nilsson duidelijk:

Hugo Rask was niet verplicht van haar te houden.

Geliefd te worden was geen recht.

Dat het verplichtingen schiep als je avances maakte of met een vrouw naar bed ging, en dat die toenamen wanneer je na de eerste vrijpartij terugkwam om nog twee nachten de lichamelijke liefde te vieren, dat was een beperkende eercultuur. Desondanks was dat hoe ze redeneerde. Het was haar volkomen duidelijk dat haar logica dat spoor volgde. Nam ze haar toevlucht tot een oud, maar in dit geval bijzonder doeltreffend rollenpatroon om haar teleurstelling te kunnen hanteren? Zulke muffe, oude ideeën over de mannelijke plichten jegens het zwakke geslacht, zou ze daar niet boven moeten staan?

Ze probeerde of ze het idee kon omdraaien en schreef er een artikel over dat ze naar een tijdschrift stuurde. De eercultuur moest worden verstaan niet als een opzettelijke vrijheidsbeperking, maar als uitvloeisel van een vaststelling van iets voor menselijk leven heel wezenlijks: dat je het recht niet had om dat bijzondere te ontduiken dat ontstond tussen twee mensen die een band hadden gekregen. Uit dat fatsoensbesef waren op organische wijze de oude gedragsnormen ontstaan, schreef ze, om het lijden te voorkomen dat uit de onduidelijkheid en de ongelijkheid volgt. In contact met een ander dient zich een verantwoordelijkheid aan, hoe dieper en naakter het contact, hoe verdergaand de verplichtingen. De eercultuur had dat begrepen en gereguleerd. Het doel was niet zozeer om twee individuen tegen hun zin tot verdere afspraakjes te veroordelen omdat ze daar nu eenmaal mee begonnen waren, zoals de eercultuur tegenwoordig star werd opgevat, of om vrouwen onderdrukt en onder toezicht te houden. Dat waren neveneffecten. Waar het om ging was mensen bij te brengen dat ze niet eens aan afspraakjes moesten beginnen als de ene partij wist dat hij niets met de ander wilde en van plan was haar aan de kant te zetten.

Die gedragscodes voor lichaam en gevoel gingen niet om eer, schreef ze. De eer was een constructie achteraf. Wel poogden ze mensen ervoor te behoeden dat ze speelbal werden van elkaars lichtzinnigheid. Spiegel de hoopvolle niets voor dat naar je weet nooit zal plaatsvinden!

Mettertijd waren de codes losgekoppeld van hun oorspronkelijke inzicht en was men ze abusievelijk gaan interpreteren als aan de vrouwelijke deugd en eerbaarheid gestelde eisen. Maar in een geslachtsneutrale wereld zouden de principes ook geslachtsneutraal zijn geweest. Ze waren louter een bescherming tegen dat wat de sterkste de zwakste aandoet. De sterkste was degene die het minste te verliezen had. En om dit middel tegen slordigheid en lichtzinnigheid in te planten werd een tot in de puntjes gereguleerde structuur uitgedacht waarbij iedereen bij elke stap wist wat hij moest doen. Een onderdeel en spontaan gevolg daarvan was kuisheid, maar dat was niet de bron. De eercultuur ging over compleet andere dingen. Ze was ingesteld om ervoor te hoeden dat mensen zich eigenmachtig van elkaar bedienden.

Het artikel werd geweigerd.

~

Januari kwam ten einde. Mensen en dingen bewogen zich de winter door. Tijdens een weekend in februari maakte ze zich klaar voor weer een feest. Ze had geen zin om te gaan en was daarom laat. In de gang, schoenen en jas al aan, muts op, zag ze tot haar verbazing hoe haar hand zich naar een dvd uitstrekte en die in haar tas stopte. Het was een film die bij haar was blijven liggen en die ze precies een jaar geleden na een van hun lange nazitten in het restaurant van Hugo had geleend.

Haar benen brachten haar niet naar de bus richting dat deel van de stad waar het feest gehouden werd, maar naar de halte van lijn 1 op de hoek van de Fleminggatan en de Sankt Eriksgatan. Ze zou alleen die film even terugbrengen. Vandaar zou ze dan naar het feest lopen. Het was de film *Gaslight*. Hij had verteld hoe geweldig hij die vond en gewild dat zij hem ook zou zien, dan konden ze het er daarna samen over hebben. Ze keek hem twee keer om echt interessante bespiegelingen te kunnen geven, maar de gelegenheid kwam nooit, want kort daarop gingen ze naar bed en stopten ze met praten.

Ze herinnerde zich het ogenblik dat warme vingertoppen elkaar raakten bij het overhandigen van de film, hoe het vonkte.

Ooit moet hij de film toch terugkrijgen, dacht ze. Ze moest

Hugo uit haarzelf en haar appartement ruimen. Ze zou alleen de film even terugbrengen en meteen weer gaan. Je kunt hem ook op de post doen, zou het koor vriendinnen gezegd hebben en daarom vroeg ze niemand uit het koor om raad.

Ester stapte uit op de Karlavägen, liep het korte stukje naar de Kommendörsgatan, belde aan en werd binnengelaten door de assistent met verfvlekken op zijn broek die ook de eerste keer, toen ze was gekomen om een videokunstwerk te halen, had opengedaan en haar toen niet had willen binnenlaten. Dat was precies vijftien maanden geleden. Ambitieus, dacht ze, op een zaterdagavond alleen aan het werk. Deze keer herkende hij Ester, maar keek haar aan met een bezwaarde uitdrukking die ze niet kon duiden. Het leek op medelijden. Ze begreep niet waarom en dacht dat het niets met haar te maken had.

'Je weet de weg.'

Hij wapperde met zijn arm richting de trap.

Hugo Rask hing in de keuken tegen de bar met naast zich Eva-Stina en een glas rode wijn. Al op de trap kon Ester ze horen lachen. Het was zaterdag en bijna zeven uur. Twee collega's die aan het einde van een werkdag nog even waren gebleven, niks raars aan, maar Hugo wist nu vast nog hoe ze heette. Ze oogden niet verbaasd toen Ester kwam, wel wat blasé. Ze rookten beiden een sigaret, wat hij met Ester nooit had gedaan, afgezien van die keer bij haar thuis toen hij er vijf gerookt had. De sigaretten versterkten de geblaseerde uitdrukking. Eva-Stina keek haar deze keer niet scheef aan, maar eerder met denigrerende lankmoedigheid.

'Hier is de film die ik van je geleend had,' zei Ester. Het viel haar op dat er te veel haast in haar bewegingen en woorden zat, hoe dociel dat overkwam, alsof ze zichzelf wegcijferde.

Hij nam de film aan, scheen zich niet te herinneren dat hij die had uitgeleend of dat ze het erover gehad hadden, legde hem op een plank en vroeg: 'Wil je een glas wijn?'

'Eigenlijk ben ik onderweg naar een feestje.'

Eigenlijk, dacht Ester. Daar heb je dat woord weer. Ben ik op weg naar een feestje of niet?

Er kwam een glas en er werd wijn ingeschonken. De tv stond aan en Eva-Stina en Hugo spraken saampjes met landerige minachting over het programma dat werd uitgezonden. De wijn was zuur en liet zich moeilijk wegdrinken. Ze hield niet van wijn zonder iets te eten erbij, maar dronk toch. Ook Ester zei landerig minachtend iets over het programma en het tv-aanbod, maar kreeg meteen het gevoel vals en deloyaal te zijn jegens iets onbestemds.

'Het is goed dat er slechte programma's op tv zijn,' corrigeerde ze zichzelf.

Ze wierpen Ester een simultaan futloze maar verwonderde blik toe.

'Wat bedoel je?'

'Slechte programma's zonder ambitie zijn broodnodig. Alleen om vuiltjes kan een parel ontstaan. Alles komt helaas voort uit vergelijking.'

'Is het omdat er zoveel slechte muziek was dat Bach de zijne schreef, denk je?' zei Eva-Stina.

'Ja, alleen zo kon hij tot het besef komen dat er betere manieren moesten zijn om tonen samen te voegen.'

'Dat geloof ik niet,' zei Eva-Stina.

De twee collega's stonden op het punt om ergens wat te gaan eten. Het leek niet iets eenmaligs of iets wat ze pas vanavond hadden besloten, maar onderdeel van een natuurlijk ritme.

Ze trokken alle drie hun jas aan. Ester klokte haar onsmakelijke wijn weg en registreerde de duidelijk hoorbare tik van een leeg wijnglas dat op een bar wordt gezet, zo'n tik als ze op een keer, duizend jaar geleden, tot in Parijs had kunnen horen.

Ze stonden beneden op straat. Het sneeuwde. Het had de hele winter en de hele dag gesneeuwd. Zelfs in de binnenstad lagen hoge sneeuwduinen.

'Ga je mee wat eten?' vroeg Hugo.

Dat hij en Eva-Stina op een of andere manier bij elkaar hoorden werd steeds evidenter en toch ging het er bij Ester niet in dat ze bij elkaar konden horen zoals zij bij hem gehoord had. Ze hadden vast gewoon een sterke collegiale band; gingen vaak samen oefenen met autorijden, had ze zojuist begrepen, lachten daarbij heel wat af, lachten om alle 'kostelijke situaties' waarin ze tijdens het rijden terechtkwamen. Eva-Stina zou voor de zomer afrijden.

Als Ester die gedachte niet absurd had gevonden, zou ze hebben gedacht dat ze klonken als een verliefd stel. In plaats daarvan dacht ze dat 'kostelijk' een van de vreselijkste woorden was die de taal kende. Het was een woord voor mensen die zagen dat iets leuk was maar het niet leuk vonden en desondanks geen ironicus werden.

Haar keel kneep dicht bij de gedachte dat hij tijd had voor oefenritjes en kostelijke situaties terwijl hij haar een jaar lang te verstaan had gegeven dat tijdgebrek hem ervan weerhield met haar af te spreken.

Ze stonden buiten op de stoep voor zijn deur. Het sneeuwde. Ze dacht: hoe kun je zo dom zijn te denken dat het om tijd gaat wanneer iemand tijd als reden opvoert? Hoe kun je überhaupt zo dom zijn dat je de vanzelfsprekendheid in gebeurtenissen niet ziet. Niets is toeval wanneer dingen veranderen. Nee. Dom ben ik niet. Ik heb nooit geloofd dat het om tijd ging. Ik probeerde gewoon mijn teleurstelling te hanteren, vol te houden, het te redden.

Zou ze mee gaan eten? Ze dacht dat het in elk geval toch moest betekenen dat hij haar gezelschap op prijs stelde en dat beide collega's geen intiemere band hadden. Je kon immers niet je ex meenemen als je met haar opvolgster ergens wat ging eten. Zo smakeloos kon toch niemand zijn.

Was de vraag die hij zojuist gesteld had in feite niet zijn manier om Ester te laten weten dat hij en Eva-Stina niets met elkaar hadden, dat ze gewoon een kunststudente was die hem idoliseerde, die hij met haar rijbewijs hielp en carrièreadviezen gaf?

Hij zou anders toch nooit met zijn drieën ergens hebben willen gaan eten? Dat was te onlogisch.

'Misschien gaan jullie liever alleen,' zei Ester.

'Kom gerust mee,' zei Eva-Stina.

'Je moet hoe dan ook eten, toch?' zei Hugo.

'Ja. Ik heb geen zin om naar dat feestje te gaan.'

'Welk feestje?' zei hij. 'Kom op, we gaan. Ik lust wel wat.'

Toen schoot hem iets te binnen, hij draaide zich om en liep naar zijn werkkamer. Nog geen minuut later kwam hij met een dun boekje weer naar buiten.

'Ik heb dat boek gekocht waarover ik het had. Dat waarvan ik dacht dat het wat voor jou zou zijn.'

Hij stak het haar toe.

'Een verlaat kerstcadeautje. Alsjeblieft.'

Ze keek hem aan, keek naar het boek.

De ongelukkige consequenties van het utilitarisme was de titel.

'Is dit het boek dat je in een etalage had zien liggen?'

'Ja. Of nee. Dat kon ik niet vinden. Dit is in plaats daarvan. Dit gedachtegoed had toch je interesse?'

'En de jouwe, als ik me niet vergis.'

'O, jawel hoor. Jazeker.'

'We deden er een interview over. Een interview dat, zoals dat heet, niet helemaal onopgemerkt bleef. Besproken in een kwaliteitskrant en zo.'

Ze las de achterkant van het boek.

'Vond je dat ik op de kwesties moest doordenken?'

Ze lachte om de scherpe kantjes van de vraag te halen.

'We moeten altijd doordenken, toch?'

'Ja. We moeten altijd doordenken.'

Ze bladerde door het boek en zag dat het mooi gezet was.

'Dankjewel. Heel attent van je.'

Ester keek met een schuin oog naar die andere vrouw, die misschien op nummer een stond. Ze oogde jong en onaangedaan. Nee, dat deed ze juist niet. Ze oogde zelfverzekerd en doortrapt, nogal berekenend zelfs. Kalmpjes stond ze naast hem, handen in de zakken van haar jas, capuchon met bontkraag, een vanzelfsprekende connectie uitstralend, alsof ze daar hoorde te staan.

De sneeuwvlokken vielen op hun schouders en smolten niet. Op de schouders van Eva-Stina smolten ze meteen. Ester voelde dat ze naar huis zou moeten gaan. Maar als ze nu naar huis ging, zou het weer een vreselijke, eenzame avond worden. Naar het feestje wilde ze niet en op een vreemde manier, ondertussen haar gebruikelijke modus, stond ze observerend naast het gebeuren, terwijl ze er tegelijkertijd aan deelnam. De nieuwsgierigheid naar hoe dit zou uitpakken was dan ook te groot om niet mee te gaan.

Hugo stond te blauwbekken en wilde gaan. Ester had het opengeslagen boek in haar handen en veegde de droge sneeuwvlokken weg die zich op de bladzijden legden.

'Waarom geef je me dit boek?' vroeg ze.

'Ik zag het en moest aan je denken.'

'Hoezo, je dacht aan mij?'

'Ik weet het niet. Hoe denk je aan iemand? Kom, we gaan eten.'

Zijn hele lijf en de kleine spiertjes rond zijn ogen verrieden dat hij gedoe vermoedde, dat hij vermoedde dat de luchtige stemming geen stand zou houden, dat zijn oordeel aan kritiek onderhevig was, dat hij domweg ongemak vermoedde, hij wiens handelen er vrijwel uitsluitend op gericht was dat gevreesde ongemak te ontwijken.

'Misschien wil je het niet,' zei hij en hij strekte tentatief zijn hand uit om het boek terug te pakken.

Ze drukte het tegen haar borst.

'Ik wil het wel. Maar ik snap niet wat voor soort cadeau het is.'

'Niets bijzonders. Ik heb het voor mezelf ook gekocht.'

Ze keek naar Eva-Stina. Klaarblijkelijk niet voor haar in elk geval.

'Geen bijzonder soort cadeau. Wat jammer.'

'Je kunt elkaar toch gewoon een boek geven. Niet alles is zo ingewikkeld als jij denkt.'

'Jawel. Alles heeft verdere abstractieniveaus. Alles wat gebeurt is te reduceren tot energie en materie en alles wat we doen vindt zijn oorsprong in een gedachte, een gevoel, goed of slecht, maar ergens komt alles uit voort en van enigerlei soort is het.'

Hugo richtte zijn blik op het einde van de straat en leek zich elders te wensen, leek dit hele initiatief ernstig te betreuren, het boek, het uit eten gaan, alles. Ester wist dat ze nu, op dit moment, naar huis zou moeten gaan.

Ze bleef en ze ploegden met z'n drieën door de sneeuw die de afgelopen uren gevallen was en nog niet door de sneeuwschuiver was meegenomen.

Voor Hugo Rask was er ook als het restaurant vol zat een tafeltje. Ze hoefden niet in de rij, er werd wat geschoven en er was een tafeltje voor drie.

Ester bestelde geitenkaassalade, Hugo entrecote met pommes frites en Eva-Stina nam tartaar. De borden kwamen en ze aten. De geitenkaas was romig en dik, het vlees sappig en mals, de tartaar gaf geen kik.

'Ze hebben hier lekker eten,' zei Hugo.

'Ja, het is lekker,' zei Ester.

'Hoe was het jouwe?' vroeg Hugo aan Eva-Stina.

'Ja hoor, heel aardig,' zei die andere vrouw die misschien op nummer een stond wat stilletjes en ogenschijnlijk slecht op haar gemak.

'Ik vraag ze meestal om er minder knoflook door te doen,' zei Hugo.

'Je houdt niet van knoflook, nee, dat weet ik nog,' zei Ester.

'Niet in te grote hoeveelheden.'

'We hadden het erover toen we hier voor het eerst samen aten.'

'Is dat zo.'

Ze hadden net zo goed in een opname voor een natuurdocumentaire kunnen zitten. De biologie had het overgenomen. Het was een en al jachtgebied, rivalen, pluimen en seksuele selectie. Hugo gaf een snel glimlachje, een weliswaar door sociale oefening eigengemaakt spiertrekje, maar evengoed onderdeel van het spel der natuur. De uitdrukkingen van die andere vrouw, die misschien op nummer een stond, werden steeds afstandelijker.

Ester herinnerde zich iets wat het koor vriendinnen eens gezegd had: 'Het is altijd onbegrijpelijk verruild te worden, onmogelijk te bevatten. Degene die jouw plaats inneemt is altijd onredelijk. Altijd.'

Toen Eva-Stina naar het toilet ging, vroeg Ester: 'Hoe is het met je?'

Hugo antwoordde dat hij zich steeds meer opwond over de handelwijze van de VS, dat er iets gedaan, ertegen gemanifesteerd moest worden. Daar dacht hij over na, wat je als kunstenaar kon doen, welke verantwoordelijkheid je had als niemand iets deed en de wereld voor je ogen instortte.

Zo dacht hij vaak, viel haar op, dat niemand iets deed, iets zei, moed had. Iedereen was moreel corrupt, bankroet en laf.

'Waarom ziet niemand het onrecht in de samenleving, waarom is er niemand die ertegen protesteert!'

De vraag was volkomen retorisch.

'Er zijn er anders nogal wat die er voortdurend wat van vinden,' zei Ester. 'In de media, zoals men dan zegt.'

'Waar zie je dat? Volgens mij is iedereen alleen met zichzelf en zijn eigen consumptie bezig.'

Een efficiënte ober nam geruisloos hun borden mee. Ester keek naar Hugo. Dat was het lichaam en het bewustzijn waarnaar ze bijna een jaar en vier maanden lang dag in dag uit verlangd had. Ze zei: 'Als ik vanavond niet was langsgekomen. Wanneer had je me dan dat boek willen geven?'

'Welk boek?'

'Dat boek dat je me zojuist gegeven hebt. Dat je voor me had uitgezocht.'

'Dat weet ik niet. Over dat soort dingen denk ik niet zo veel na als jij. Waarschijnlijk had ik het dan opgestuurd.'

Misschien nummer een kwam terug. Ester zag hoe hij naar haar lachte, hartelijk, stralend, en haar stoel uittrok, en hoorde hem zeggen: 'We hebben het over het imperialisme van de Verenigde Staten.'

Ze voelde de koppigheid als een atoomwolk in haar opwellen.

'De taliban zijn erger dan al het Amerikaanse imperialisme ter wereld,' zei ze.

'De taliban zijn een product van het Westen,' zei Hugo.

'Ze zijn het product van zichzelf. Niemand heeft hen tot hun ideeën gedwongen. Maar ze hebben die, geloven erin en handelen ernaar, tot ontzetting van de vrouwen die hun pad kruisen.'

'Verklaar je nader?'

'Nee, verklaar jij je nader,' zei Ester.

'Je wordt taliban uit protest tegen een onderdrukking,' zei Hugo pedagogisch. 'De arme heeft geen ander wapen dan terrorisme.'

Ester werd er zwaar en mat van dat de man die ze liefhad klonk als een echo en niet de zin of het vermogen leek te hebben om verder te komen dan zulke slappe simplismen.

Een gedachte ging door haar hoofd, sloop schuw langs de celwanden als iemand met pleinvrees, maar de angstige en de gedachte waren desondanks allebei uit wandelen gegaan: dit was niet een persoon met wie ze wilde leven. Ze zou zijn politiek-morele zelfgenoegzaamheid niet kunnen uitstaan.

'Hoe komt het toch,' vroeg ze, 'dat de mensen in het Avondland zich voor hun daden en ideeën moeten verantwoorden en anderen niet? Jij en velen met jou delen de wereld op in vastgelegde en onveranderlijke categorieën van verantwoordelijken en onschuldigen, daadkrachtigen en hulpelozen. Hoe houden jullie het toch uit met jezelf en die wrede neerbuigendheid jegens iedereen die je niet tot je eigen soort rekent?'

'Je kunt toch niet buiten een machtsanalyse,' merkte die ander, die misschien op nummer een stond, betweterig op.

'Maar je moet ook zien wanneer de machteloze macht uitoefent, net zoals je moet zien dat machteloosheid niet automatisch impliceert dat je opvattingen deugen,' zei Ester. 'Macht is situatiegebonden. In alle situaties vind je dezelfde structuren terug, maar daarbinnen verplaatst de mens zich, in een gelijkzijdige verhouding tot de ander. Al naar gelang de samenhang bevindt een en dezelfde persoon zich op verschillende plaatsen binnen de structuur, dat zit hem niet in huidskleur, religie of geografie.'

'Niemand heeft beweerd dat het hem in huidskleur, religie of geografie zit,' zei hij.

'Niet? Waarom weten jullie dan altijd al bij voorbaat wie

de zwakkere is, ongeacht de kwestie?'

Met onderdrukte irritatie gebaarde Hugo om de dessertkaart. Hij zei: 'Mijn vader placht te zeggen dat Stalin de enige was die de omstandigheden van de arbeiders begreep.'

'Nam hij het op voor Stalin?'

'Hij begreep hem. Begreep wat hij wilde.'

Hij klonk niet alleen tevreden, maar oogde voldaan bovendien.

'En jij?'

'Wat?'

'Begrijp jij Stalin ook?'

Hij haalde zijn bril uit zijn borstzakje en bestudeerde geïnteresseerd het aanbod van nagerechten.

'Iedereen is toch zeker vrij in zijn opvattingen,' zei Eva-Stina. 'Je hebt toch het recht om te vinden wat je wilt?'

'Niet als het aan Stalin ligt. Is er één standpunt van Stalin dat je verdedigt?' drong Ester aan terwijl ze Hugo aankeek.

'Mijn situatie is niet dezelfde als die van mijn vader.'

'Maar ongeacht zijn situatie zal je vader het toch niet opnemen voor een van de ergste moordenaars en misdadigers uit de wereldgeschiedenis?'

'Dat kan propaganda zijn, in elk geval gedeeltelijk.'

'Dit is beneden je waardigheid, Hugo.'

'Voor mijn vader en andere arbeiders zoals hij zou Stalin goed zijn geweest. Ze zouden bij Stalin gebaat zijn geweest. Wij hebben niet het recht om daar een oordeel over te vellen, het gaat om klassenbelangen en het waren andere tijden, andere voortekenen.'

'En juist arbeiders kunnen zich niet verheffen boven dat wat hun op de korte termijn baat, gesteld dat het dat doet, iets waar ik niet van uitga, want niemand heeft baat van een schrikbewind en van totalitarisme, maar wat we omwille van de redenering aannemen. Jijzelf hebt baat van de ideeën en de praxis van het liberalisme. Je maakt maatschappijkritische videokunst die je nooit zou mogen maken in die landen en politieke systemen die je roemt en verdedigt. Toch vind je dat je je niet achter de ideeën moet scharen die juist jou op de korte termijn baten bij de uitoefening van je beroep. Je meent het aan het geheel en de samenleving en degenen die uitgebuit worden verplicht te zijn je boven zo'n simplistisch klassenbelang te verheffen. Waarom verwacht je datzelfde niet van je vader en andere arbeiders: dat ze zich boven hun eigenbelang verheffen? Waarom eis je van jezelf dat je je meer dan anderen verheft en verder kijkt?'

'Mijn vader was een eenvoudige arbeider. Een kleine man die in de knel kwam.'

'Het maakt nogal verschil of je macht hebt of niet,' zei Eva-Stina, iets wat deze keer nogal repetitief klonk.

'Dus arbeiders zijn niet in staat tot ethische overwegingen ten behoeve van iets anders dan hun eigen gewin?' vroeg Ester. 'Kunnen niet aan iets anders dan zichzelf en hun eigen belang denken? Kunnen geen acht slaan op het geheel of andermans leven?'

Hugo peuterde met een tandenstoker tussen twee tanden en richtte zich tot Eva-Stina, vroeg welk nagerecht zij wilde. Sorbet, was het antwoord. Hugo wilde chocoladefondant. Dat wilde Ester ook, maar in deze gespannen situatie kon ze moeilijk hetzelfde nemen, daarom koos ze voor panna cotta.

'Majakovski was voor de Sovjetstaat,' zei Hugo toen ze besteld hadden. 'Lees "Het Sovjetpaspoort" maar. "Wees jaloers. Ik ben een burger van de Sovjetunie." '

'Laten we hopen dat hij dat niet geschreven zou hebben als hij wist wat wij weten.'

Hugo Rask keek verlangend de winternacht in, waar de vallende sneeuw duidelijk onder de straatlantaarns te zien was. Grote, ronde vlokken. Even overviel Ester het gevoel dat haar de kans was geboden weer een relatie met hem aan te gaan en dat ze alles verknald had met een hooghartig, scherp en polemisch optreden.

Nu kiest hij die ander in plaats van mij, dacht ze. Hier en nu is hij me ontglipt en heb ik het tere dat net weer ontsproot vertrapt. Dat hij ons beiden mee uit eten nam was een test en het is hem eens en voor al duidelijk geworden dat hij mij niet wil. Nu is de laatste twijfel die hij vanavond op de proef wilde stellen verdwenen.

Met gloeiend gezicht zei ze: 'Maar het hangt natuurlijk allemaal af van het perspectief.'

Zo ongelofelijk onnodig om in discussie te gaan over Stalin en de taliban.

Ze had er spijt van. Had er geen spijt van.

Ze kon toch niet leven met iemand die in leuzen dacht, die op de gladde buitenste laag van het activisme bleef staan om maar nooit te hoeven afdalen in het doolhof van onderzoek.

De serveerster kwam eraan met meer eten en zijn glimlach brak door als vuur uit nat hout. Vlug aten ze het nagerecht op en daarna trok hij als een groothandelaar in een spotprent zijn portefeuille en betaalde voor alle drie.

'Dat is niet nodig,' zei Ester.

'Het is al goed.'

Hij klapte zijn portefeuille zo dicht dat de last van verantwoordelijkheid hoorbaar was en stond op, rees hoog boven zijn gezelschap uit. Ze liepen de Nybrogatan af, met z'n drieën naast elkaar, staken het plein over naar de Sibyllegatan en liepen verder naar de Kommendörsgatan. Het sneeuwde.

Beide collega's zouden de werkplaats weer in en Ester zou doorlopen naar de bushalte. Bij de deur stonden ze stil voor een afscheid.

'Bedankt voor het boek en het etentje,' zei Ester.

'Hopelijk heb je er iets aan.'

'Vast wel.'

Zijn arm ging omhoog voor een zwaai.

'Succes dan maar,' zei hij.

Ze zag hen samen bij hem naar binnen gaan. Daarna liep ze door over de stoep waarover ze al zo vaak gelopen had. Hoe vaak kan iemand over een stoep lopen voordat ze opgeeft?

Succes dan maar, dacht ze, een frase met de eigenschappen van een moordwapen. *De mensen zijn nu eenmaal gemaakt om elkaar het leven zuur te maken.* Ze had de zin onderstreept toen ze een tijdje terug *De idioot* las.

Midden in een pas bleef ze staan. Het was haar opeens volkomen duidelijk wat haar te doen stond. En dat ze dat nu moest doen. Er was veel te veel onopgehelderd. Vanavond had ze de kans om het uit te praten. Vanavond moest er iets gebeuren. Ze liep terug naar zijn huis. Hij was haar een goed gesprek schuldig.

Er brandde nog licht in het atelier. Ester kon wachten. Ze was wat uitgelaten van het idee dat ze eindelijk met elkaar zouden praten over wat er allemaal geweest was en waarom het zo gelopen was, en bij de gedachte aan wat er daarna zou kunnen gebeuren, waar een oprecht gesprek midden in de nacht met alcohol in het lijf toe zou kunnen leiden.

Ze liep een blokje om. Als ze terugkwam zouden ze daarbinnen vast en zeker hebben opgebroken. Als ze terugkwam zou het atelier vast donker zijn.

Toen ze terugkwam stond er een raam wagenwijd open en hoorde ze het geluid van een racketspel.

Ze lachten met elkaar zoals je uit beleefdheid lacht als je iemand leuk wil vinden maar er een tussenliggend vacuüm is, als je welwillendheid voelt maar geen saamhorigheid, als je wilt laten blijken dat je het leuk hebt samen maar je buiten je eigen omtrek staat en deze specifieke activiteit niet direct verheffend vindt. Je doet mee en doet blij omwille van de ander. Zoals je lacht als alles een beetje gekunsteld is. Zo lachten ze.

Zelf had ze dat ook weleens gedaan. Maar nooit met hem. Met hem had ze niet één keer iets gespeeld of geveinsd of zich opgelaten gevoeld. Eén keer zei hij tegen haar dat hij nooit eerder zo met iemand had gepraat als met haar. Praten was haar afrodisiacum, het enige dat ze kende en beheerste. Met gesprekken kreeg ze iedereen plat die haar gespreksdrift en haar honger naar gedachtewisseling deelde. Haar gesprekken met Hugo waren erotisch geladen, eindeloos en oneindig inspirerend geweest – maar kennelijk niet onontbeerlijk. Mensen konden het blijkbaar stellen zonder interessante gesprekken. Hun primaire behoefte was niet een verbaal-erotisch samenzijn, maar een gedoeloos bestaan. Dat laatste kreeg altijd voorrang boven de wens tot substantie en zin. De prijs voor die gedoeloosheid was een milde triestigheid.

Ester Nilsson stond met bevroren tenen op de stoep van de Kommendörsgatan en bedacht dat deze werkgever ongebruikelijk levendige werknemersactiviteiten organiseerde. Ze bleef nog een uur in haar veel te dunne jas staan wachten. Toen ging eindelijk het licht uit en werd het, afgezien van een zwak schemerlicht uit een van de achterste vertrekken, donker in het atelier. Ze wachtte nog vijf minuten extra. Toen ging ze de poort door, stak de binnenplaats over en liep de trap op naar zijn appartement.

De geur in het trappenhuis was zoals ze zich herinnerde, oud stof en kille stenen. De geur zou pijn moeten doen, want dat doen herinneringen, maar de verwachting was sterker. De deur stond op een kier. Ze klopte aan.

'Ja?' klonk zijn stem, vriendelijk, wachtend.

Ze stapte de gang in. Wat had ze hier niet naar verlangd, het echt eens met hem uit te praten, ongestoord, bij hem thuis, op een moment dat ze geen van beiden naar elders onderweg waren.

Ze hoorde hoe hij haar tegemoetkwam, de keuken uit kwam, de hoek om. Nu zag ze hem, zijn stralende vollemaansgezicht, dat tegelijkertijd altijd wat aarzelends en introspectiefs had.

Ester begon aan een zin. Ze had hem ingestudeerd terwijl ze beneden op straat stond te blauwbekken. Hij luidde: Ik dacht dat we even konden praten nu het vanavond zo gezellig was. We hebben nooit de kans gehad om ordentelijk te praten over wat er gebeurd is en waar we eigenlijk staan en wat we zullen doen met al dat moois dat we hadden opgebouwd.

Dat zou ze zeggen, had ze bedacht.

Dat eeuwige gepraat waaraan de afgewezene zich wil wijden. Dat eeuwige gepraat. Degene die afwijst, voelt nooit de behoefte te praten.

Ze zou als geen ander moeten weten dat degene die weggaat niet lijdt, wie weggaat hoeft niet te praten want hij heeft niets te vertellen. Wie weggaat is klaar. Dat is de grootste pijn. Het is degene die verlaten wordt, die tot in lengte van dagen moet praten. En al dat gepraat is één grote poging de ander te vertellen dat hij zich heeft vergist. Dat hij als hij de ware aard der dingen zou beseffen tot een andere keuze zou komen, dat hij dan van haar zou houden. Het gepraat dient niet om duidelijkheid te krijgen, wat de prater beweert, maar om te overtuigen en te overreden.

Praten heeft geen zin. Eerlijke antwoorden krijg je niet, uit mededogen niet. Men verlaat en wordt verlaten en er is niets om over te praten, want als de wil ontbreekt bestaan er geen verplichtingen. Wat uit barmhartigheid gedaan wordt heeft geringe waarde als de ander hoopt dat het uit liefde gebeurt.

Ester kreeg niet de tijd om te zeggen wat ze bedacht had, maar maakte een begin: 'Ik dacht dat we wat...'

Toen begreep ze de uitdrukking op zijn gezicht. Hij keek als iemand die een slang had verzwolgen.

Hugo verwachtte gezelschap. Maar niet van haar. De woorden uit zijn mond waren harkerig van schrik en ontzetting, of wat het ook was dat zich in hem aandiende.

'Er komt... iemand anders... Eva-Stina...'

Ester sloeg de deur achter zich dicht en rende de trap af, roetsjte langs de trapleuning om in het trappenhuis maar niet die ander tegen te komen, die op nummer een stond. Kennelijk was die in het atelier nog ergens mee in de weer. Misschien schilderde ze een decorstuk af.

~

Definitieve antwoorden zijn gemakkelijker te hanteren dan diffuse. Dat komt door Hoop en diens aard. Hoop parasiteert op het menselijk lichaam en leeft in een-op-eensymbiose met de mensenziel. Hem een dwangbuis aantrekken en in donkere krochten opsluiten volstaat niet. Een hongerdieet helpt ook niet, de parasiet laat zich niet op water en brood zetten. De voedseltoevoer moet volledig worden stopgezet. Kan Hoop ergens aan zuurstof komen, dan pakt hij die. Zuurstof is te vinden in een onjuist gericht bijvoeglijk naamwoord, een vervlogen bijwoord, een compenserende geste van medeleven, een beweging, een glimlach, de glinstering in een oog. Degene die hoopt wenst te vergeten dat empathie een werktuiglijke kracht is. De onverschillige doet uit automatisme allerlei zorgzaams, om zowel zichzelf als de noodlijdende te beschermen.

Om te voorkomen dat Hoop zijn gastdier verleidt en verblindt, moet hij worden uitgehongerd. Alleen de bruutheid van het overduidelijke kan Hoop doden. Hoop is hardvochtig omdat hij je vastbindt, je in zijn netten strikt.

Wordt de parasiet Hoop zijn drager Gastdier ontnomen, dan sterft de drager of verkrijgt vrijheid.

Vergeet niet: Hoop en zijn symbiose geloven niet in een verandering van de diepste wil van de geliefde. De Hoop die de mensenziel bewoont gelooft dat de wil er reeds is, dat de geliefde eigenlijk – eigenlijk – datgene wil wat hij veinst niet te willen, of datgene niet wil wat hij veinst te willen, datgene wat een boze buitenwereld hem verleid heeft te willen, kortom: dat het allemaal anders zit dan het lijkt. Dat die kleine glimp van iets anders de waarheid is.

Dát is Hoop.

Toen Ester die nacht thuiskwam, maakte ze zich net als anders klaar om te gaan slapen. Het was deze zaterdag een jaar geleden dat Hugo bij haar gegeten had. Ze had iets roodachtigs geserveerd en hij was om het uur naar het raam gelopen om te roken. Over een week had ze een jaar van lijden achter zich. Het intensiveerde de eerstvolgende dagen, verdikte zich, maar was zuiverder en minder troebel.

Er hoefde niets meer begrepen te worden.